T

COME LO DIREBBE UN ITALIANO!

ACQUA

IN BOCCA!

ROBERTO
BORTOLUZZI

ACQUA IN BOCCA!

Autore: Roberto Bortoluzzi

Direttore editoriale: Eduard Sancho
Coordinamento editoriale: Ludovica Colussi
Redazione: Ludovica Colussi, Laura Tongiani
Progetto grafico: emeyele®
Impaginazione: Eva López (Tallers Gràfics Soler)
Illustrazioni: Ernesto Rodríguez

© Difusión, S.L., Barcellona, 2015

ISBN: 978-84-16057-00-9
Depósito legal: B-928-2015

Stampato in UE

EDIZIONI
C
casa delle
lingue

INDICE

PRESENTAZIONE

Ti sarà capitato spesso, parlando in italiano, di avere la sensazione di non riuscire ad esprimerti in maniera del tutto naturale e spontanea, anche se conosci bene la grammatica e possiedi un vocabolario ricco.

È un po' come quando una ricetta non ti riesce bene: pensi di avere tutti gli ingredienti, ma c'è qualcosa che non va, qualcosa che ti manca. Ad esempio, conosci il significato delle parole *acqua*, *in* e *bocca*, ma molto probabilmente non sai cosa significa *acqua in bocca*. Magari sai contare perfettamente fono a 1000, conosci tutti i colori e le loro sfumature, sai il nome di tutti gli animali, ma il significato di *fare tredici*, *andare in bianco* e *stare da cani* ti sfugge... ed ecco la sensazione di "mi manca qualcosa".

Nei numerosi testi didattici d'italiano trovi di sicuro informazioni interessanti sulla pizza e sulla Pasqua in Italia. Ma ti insegnano ad usare espressioni come *che pizza!* o *essere felice come una Pasqua*? Se qualcuno ti dice che *sei una testa di rapa* o che *hai poco sale in zucca* pensi che si riferisca al tuo modo di cucinare? E se ti dicono che una persona *porta iella* come reagisci? Non ti preoccupare, puoi consultare **ACQUA IN BOCCA!**

Abbiamo raccolto circa 500 espressioni e le abbiamo suddivise in 30 categorie, che corrispondono ad aree semantiche e tematiche come "Gioe e dolori", "Vicini e lontani" o "Facile o difficile". Per ogni espressione trovi una spiegazione chiara di uso e registro, ma anche qualche notizia sull'origine e uno o due esempi contestualizzati per aiutarti a comprendere meglio.

L'autore

Roberto Bortoluzzi si è laureato in Lettere all'Università Ca' Foscari di Venezia. Ha insegnato a lungo italiano a Barcellona e attualmente risiede e lavora in Italia. All'attività di docente affianca quella nel campo della traduzione e della lessicografia. Per Pons Idiomas ha pubblicato **Cavolo!**, dizionario bilingue di argot (italiano-spagnolo e spagnolo-italiano).

ACQUA
IN BOCCA!

STARE DA DIO

GIOIE E DOLORI

gioie

Andare in brodo di giuggiole

È un antico proverbio che significa *sciogliersi dalla felicità, liquefarsi dalla gioia.* L'immagine viene dalla cucina: il brodo di giuggiole era uno sciroppo ricavato dai dolcissimi frutti del giuggiolo. Oggi l'espressione ha un sapore un po' retrò.

○ Ieri ho visto per la prima volta la mia nipotina: sembrava una bambola, **sono andata in brodo di giuggiole.**

Fare i salti di gioia

Si usa quando siamo felicissimi ed entusiasti di fare qualcosa. Si utilizza spesso anche alla forma negativa per attenuare la mancanza di voglia nel fare qualcosa.

○ Quando ho proposto a Elisa di lavorare con noi, è stata felicissima, **ha fatto i salti di gioia.**

Essere / salire al settimo cielo

L'espressione significa *raggiungere il livello più alto della felicità*. Fa riferimento al sistema planetario aristotelico-tolemaico: il settimo cielo era l'ultima zona accessibile per l'umano, oltre la quale c'erano solo l'eterno e il divino.

○ Quando il prof. ha detto che avevo vinto la borsa di studio per il dottorato, **ero al settimo cielo!**

Stare da dio

L'espressione equivale a *stare benissimo*, proprio come una divinità.

○ ▪ Com'è andata la vacanza?
   • Ah! **Siamo stati da dio**: mare, sole, divertimento... peccato che sia già finita!

Darsi alla pazza gioia

Significa *dedicarsi esclusivamente ai divertimenti, ai piaceri e agli eccessi*, conducendo una vita spensierata ed esagerata.

○ Da quando ha finito gli esami, mio fratello si **è dato alla pazza gioia**, uscendo tutte le sere fino a tardi con i suoi amici.

Non vedere l'ora, non stare nella pelle

Sono due modi di dire molto comuni che usiamo quando siamo molto impazienti di fare qualcosa. La seconda espressione ha origine da una favola di Fedro di cui è protagonista una rana che, volendo diventare grossa come un bue, si gonfia d'acqua fino a scoppiare, uscendo fuori dalla pelle, appunto.

○ Ragazzi, vi rendete conto che manca solo un mese alle vacanze? **Io non sto più nella pelle!**

○ **Non vedo l'ora** che arrivi il ponte del Primo Maggio: ho prenotato un viaggetto a Londra!

Essere felice come una Pasqua
Si dice di chi manifesta grande gioia e allegria. Si fa riferimento alla Pasqua perché è la più importante festività religiosa cristiana.

○ ■ Lo sai che Chiara aspetta un bambino?
  ● Non mi dire! E il suo ragazzo come l'ha presa?
  ■ Non ci crederai, ma **è felice come una Pasqua**!

dolori

Lasciare l'amaro in bocca
È la sensazione che prova chi è profondamente deluso, o amareggiato.

○ ■ Certo, essere licenziati così, dopo vent'anni di servizio...
  ● Eh sì, sono cose che **lasciano l'amaro in bocca**.

Avere una faccia da funerale
Significa *assumere un'espressione addolorata, da lutto* proprio come quando si va a un funerale.

○ Mammamia, **avete una faccia da funerale**! D'accordo, avete perso, ma dopotutto è solo una partita di calcio!

Soffrire come un cane / come una bestia
Sono modi di dire che equivalgono a *soffrire moltissimo*: come gli animali, che non sono in grado di farsi una ragione delle loro sofferenze. Vengono usati spesso per enfatizzare le pene d'amore.

○ Lei lo ha lasciato senza un valido motivo, lui **ha sofferto come un cane** e ora li rivedi insieme mano nella mano ... Io proprio non capisco!

Patire le pene dell'inferno

Soffrire moltissimo, proprio come soffrono i dannati all'inferno, secondo l'immaginario collettivo.

○ Quest'estate sono rimasto in città a lavorare e **ho patito le pene dell'inferno**: un caldo tremendo!

Essere giù di morale, avere il morale sotto i piedi

Sono espressioni che usiamo quando siamo tristi. La prima è senz'altro la più usata, soprattutto nella forma abbreviata **essere giù**. In **avere il morale sotto i piedi** si fa riferimento al livello basso dei piedi: più in basso di così è impossibile scendere!

○ Lavoro: male; soldi: pochi; amore: meglio lasciar stare... dimmi come faccio a non **essere giù di morale**!

Piangere come una fontana

Significa *piangere tantissimo, versare lacrime in abbondanza*, proprio come da una fontana esce l'acqua.

○ Lo so, è da scemi, ma ogni volta che vedo *Titanic*, **piango come una fontana**.

Piangere lacrime amare

Significa *piangere disperatamente*, di solito per rimpianto o rimorso. Equivale anche a *pentirsi di qualcosa*.

○ **Piangerà lacrime amare** quando verrà a sapere che non ha superato l'esame.

Stare da cani / da schifo / di merda   Significa *stare malissimo*. Sono tutte e tre espressioni molto frequenti che appartengono al registro colloquiale. La terza è volgare.

○ Da quando mi ha lasciato non faccio che pensare a lui: piango, mi dispero e non ho voglia di fare niente... **Sto da cani**.

Un calvario, una via crucis   In entrambe le espressioni si fa riferimento alla passione di Cristo sul monte Calvario, per cui, in senso figurato, esprimono qualcosa di lungo e doloroso: una situazione, una malattia o una vita piena di sofferenze.

○ ▪ Finalmente hai trovato un bel lavoro!
● Sì, guarda, è stato **un calvario**: lavori in nero, contratti instabili, stipendi bassi... Finalmente si è risolta la situazione!

Piangere come una fontana

IN SANTA PACE

CALMA E COLLERA

calma

Mettersi il cuore / l'animo in pace, darsi pace
Sono espressioni, molto usate, dal significato identico: *smettere di agitarsi o d'inquietarsi*, soprattutto nel senso di rassegnarsi a qualcosa che non si può modificare.

○ **Mettiti il cuore in pace**: non ti ha mai amato e non ti amerà mai!

Avere il sangue freddo
Significa *avere autocontrollo* e quindi non farsi prendere dal panico e reagire con lucidità anche di fronte a un pericolo improvviso.

○ L'altra notte sono entrati i ladri a casa di Mattia, ma lui **ha avuto il sangue freddo** di uscire dal retro e avvisare la polizia.

A sangue freddo
Significa *con freddezza* ed è usato per lo più in riferimento a crimini. **Senza fare una piega** o **senza battere ciglio** sono espressioni si-

mili alla precedente, ma di uso più generalizzato, perché applicabili a qualsiasi contesto.

○ Ho letto sul giornale che, dopo la rapina, i
   malviventi hanno ucciso l'ostaggio **a sangue
   freddo.**

Calma e gesso   È un invito a mantenere la calma, a consi-
derare razionalmente una situazione per
affrontarla nel modo migliore. Deriva dal
gioco del biliardo: i giocatori, prima di un
tiro difficile, osservano con attenzione la
posizione delle palle e passano il gesso sulla
punta della stecca.

○ **Calma e gesso**, ragazzi! Litigare non serve a
   niente, cerchiamo piuttosto di ragionare e
   trovare una soluzione.

A mente fredda   È una delle numerose espressioni che associa il freddo alla capacità di giudicare luci-
damente e obiettivamente una situazione. Si
contrappone all'espressione **a caldo**.

○ **A mente fredda** ho capito di aver sbagliato:
   non dovevo mentire, anche se l'ho fatto a fin
   di bene.

Darsi una calmata   È un modo di dire colloquiale, sinonimo di
calmarsi. Si usa spesso all'imperativo per
tranquillizzare chi è troppo agitato e sembra
aver perso il controllo di sé.

○ Ehi, **datti una calmata**! Non mi sembra il caso
   di arrabbiarsi per una sciocchezza del genere.

In santa pace Si usa quando si desidera dedicarsi a una qualche attività, anche la più comune, con la tranquillità necessaria per gustarla in pieno.

○ Che giornata! Non mi sono fermata un solo momento! Adesso ho proprio voglia di farmi una doccia **in santa pace**.

Prendersela comoda Significa *fare qualcosa con estrema tranquillità*, senza correre.

○ Visto che era domenica, **me la sono presa comoda** e a mezzogiorno ero ancora in pigiama.

Quieto vivere L'espressione è sinonimo di *vita tranquilla*, priva di contrasti. Si usa soprattutto quando, di fronte a un problema, si lascia correre senza cercare lo scontro.

○ Guarda che se non litigo con te ogni giorno è solo per **quieto vivere**!

Vivere e lasciar vivere Deriva da un aforisma del pensatore tedesco Schopenauer, nel linguaggio corrente equivale a *pensare ai fatti propri e lasciare che gli altri facciano lo stesso*.

○ Ok, il vicino di casa ha un'amante... Ma a te che te ne importa? Che ti ha fatto di male? **Vivi e lascia vivere**!

Fare come se niente fosse L'espressione fa riferimento a un alto grado di tranquillità di fronte a situazioni che potrebbero creare panico. Si usa molto spesso per indicare un comportamento insensibile e ipocrita. In quest'ultima accezione è analogo a **fare finta di niente**.

○ È inutile che tu faccia **come se niente fosse**...
lo sanno tutti che sei stato tu a fare la spia!

collera

Avere i nervi a fior di pelle

Significa *essere intrattabili, molto nervosi,* come se i nervi fossero risaliti fino al livello della pelle, diventando quindi estremamente sensibili. Spesso si usa solo la prima parte, **avere i nervi.**

○ Certo che ultimamente **hai i nervi a fior di pelle**: non ti si può dire niente che ti arrabbi subito!

Avere un diavolo per capello

Significa *essere arrabbiatissimi,* come se si avessero in testa tanti diavoli che tirano i capelli.

○ Se fossi in te, oggi eviterei di chiedere l'aumento al capo: **ha un diavolo per capello**!

Dare in escandescenze

Letteralmente significa *infiammarsi.* Indica una reazione piena d'ira, accompagnata da atti e parole violente.

○ L'aereo era in ritardo di due ore e un passeggero **ha dato in escandescenze** insultando pesantemente gli addetti all'imbarco: alla fine è intervenuta la polizia e la situazione è tornata alla normalità.

Essere incazzato   Espressione di uso molto comune per dire che si è molto arrabbiati. Deriva da *cazzo*, termine volgare che indica l'organo sessuale maschile, ma oramai ha perso la connotazione di registro basso, ed è di uso molto colloquiale. La formula standard può essere intensificata da una vasta serie di similitudini: **essere incazzato nero / come una bestia / come una iena.** Sono comuni anche **essere incavolato** o **essere incacchiato**, degli eufemismi che attenuano la volgarità dell'espressione originale.

○ Suo padre **era incazzato nero**. Non solo gli aveva preso la macchina senza permesso, ma era anche andato a sbattere contro un albero!

Non poterne più   Si usa quando si è arrivati al massimo delle proprie capacità di sopportazione.

○ Oh, no! Mi hanno nascosto di nuovo la bici... **Non ne posso più** di questi scherzi idioti!

Andare in bestia   Nelle locuzioni che indicano una rabbia molto forte, l'uomo spesso perde la propria natura e si trasforma in qualcos'altro: questo è evidente in **andare in bestia** ma anche in **uscire / essere fuori di sé.**

○ Quando i miei coinquilini lasciano tutti i piatti e le pentole sporche mi fanno **andare in bestia**!

Essere la bestia nera   È un'espressione informale che si usa per descrivere una persona o un argomento il cui solo pensiero o nome basta a suscitare ira, odio o timore.

○ Ah, la matematica! Non me ne parlare... è
sempre **stata la mia bestia nera**: non sono
mai riuscito a prendere un 6!

Essere una furia L'espressione è di origine letteraria: le *furie*
erano, infatti, tre antiche divinità romane,
simbolo di odio e vendetta. L'espressione
equivale *a essere estremamente arrabbiati.*
Comune anche il costrutto **andare su tutte
le furie.**

○ ▪ Ma tu le hai spiegato come stanno davvero
le cose?
● Impossibile, è **una furia**: mi ha aggredito,
senza darmi nemmeno il tempo di aprire
bocca!

Avere la luna storta L'espressione equivale ad *essere di malumo-
re o facilmente irritabile.* La locuzione nasce
dall'antica credenza che la luna influenza lo
stato psichico delle persone.

○ Luca oggi **ha la luna storta**: non mi ha
nemmeno salutato!

Farsi il sangue amaro Si usa per riferirsi a chi si arrabbia molto,
senza poter sfogarsi. La saggezza popolare
riteneva che gli accessi di rabbia facessero
arrivare nel sangue la bile, un liquido amaro
prodotto dal fegato.

○ È inutile **farsi il sangue amaro**: se non ti
hanno convocato per il secondo colloquio di
lavoro, vuol dire che non era destino. E poi
vedrai che la prossima volta andrà meglio!

Rodersi il fegato, farsi scoppiare il fegato, mangiarsi il fegato, farsi venire il mal di fegato

Ritenuto dagli antichi Greci la sede dei sentimenti, nella cultura popolare il *fegato* è stato sempre associato a diverse manifestazioni del carattere e dell'umore. Il significato è sempre lo stesso: *essere vittima di ira, invidia o rancore.*

○ **Mi rode il fegato** vedere un paese così ricco di risorse come l'Italia rovinato dalla burocrazia e dall'incompetenza della classe politica.

Avere un diavolo per capello

FARSI IN QUATRO

BUONI E CATTIVI

buoni

Essere di buon cuore, avere un cuore d'oro   Si dice di una persona molto buona, generosa e comprensiva. Il cuore è fin dall'antichità considerato la sede dei sentimenti più positivi, come ad esempio l'amore, la bontà e la generosità.

> ○   ▪ Sì, lo so: a volte è un po' burbero, ma ti posso assicurare che **ha un cuore d'oro**.
>   ● Se lo dici tu...

Essere un pezzo di pane   Modo di dire simile al precedente che significa *essere malleabile come il pane* e quindi, in senso figurato, mite e indulgente. Anche le varianti **essere una pasta d'uomo** o **di buona pasta** riprendono la stessa metafora.

> ○   Bea **è un pezzo di pane**, ma la sorella è tremenda...

Essere un angelo   *Essere molto buoni* e, in particolare, molto comprensivi e indulgenti. Come gli angeli, simbolo di bontà e purezza.

⊙ Gaia **è un angelo**: quando ho perso il lavoro, mi è stata molto vicina. Non so come avrei fatto senza di lei.

Angelo custode   Secondo la dottrina cristiano-cattolica ogni essere umano viene affidato, alla nascita, a un angelo che l'accompagnerà per tutta la vita per guidarlo e proteggerlo. L'angelo custode è quindi, in senso figurato, una persona che protegge qualcuno o che interviene ad aiutarlo.

⊙ ▪ Non preoccuparti, ho parlato io con il capo: gli ho spiegato la situazione e ha capito. Tutto risolto!
   ● Oh, ma tu **sei il mio angelo custode**! Grazie mille, non so proprio come farei senza di te!

Essere un buon partito   Modo di dire riferito a un single di buona condizione economica e sociale, con cui un eventuale matrimonio risulterebbe molto vantaggioso. Oggi l'espressione ha spesso una sfumatura ironica e scherzosa.

⊙ ▪ Allora, com'è questa Francesca?
   ● Bella, intelligente e di ottima famiglia: proprio un buon partito!

Essere tutto d'un pezzo   Si dice di una persona integra, leale, che non scende a compromessi.

⊙ Il nostro sindaco è un uomo **tutto d'un pezzo**, non si è mai approfittato della sua condizione per benefici personali.

Farsi in quattro   Utilizziamo questa espressione quando ci impegniamo tantissimo nel fare qualcosa, come se ci dividessimo in quattro per essere più efficienti.

⭘ Michele è un gran lavoratore: si è sempre **fatto in quattro** per l'azienda, si merita molti riconoscimenti.

Non fare male a una mosca   Significa *non far del male a nessuno*, nemmeno a un insetto così poco simpatico come la mosca. Equivale a *essere miti e innocui*. Di solito si dice di una persona molto buona quando è ingiustamente sospettata di azioni malvagie. Il verbo *fare* è quasi sempre coniugato al condizionale.

⭘ Guido **non farebbe male a una mosca**, non può essere stato lui ad aver detto tutte quelle cattiverie su Roberta.

Essere una benedizione   Detto di chi o cosa è fonte di bene, di gioia, di consolazione o addirittura di salvezza. In genere l'espressione indica l'intervento positivo di una persona oppure un fattore imprevisto che risolve una situazione negativa. Esiste anche **essere una maledizione**, che ha il significato esattamente opposto.

⭘ Cambiare città per Cristina **è stata** proprio **una benedizione**: ha trovato un lavoro che le piace, ha conosciuto bella gente e adesso sta anche uscendo con un bel tipo!

Essere un tesoro Si dice di quelle persone che hanno particolari doti di altruismo e bontà e che, appunto, hanno un gran valore, come un tesoro.

○ ■ Non preoccuparti per i bambini, li vado a prendere io quando esco dall'ufficio. Fai le tue cose con calma!
● **Sei** proprio **un tesoro**!

cattivi

Essere un castigo di Dio Significa *essere una disgrazia o calamità* mandata da Dio agli uomini come punizione. Si utilizza per riferirsi a persone o situazioni che fanno danni, provocano dolore o grande confusione. Molto spesso si usa in senso scherzoso.

○ ■ Al compleanno di Gigi ho invitato anche Stefano.
● Oddio! Quel ragazzo rompe tutto ciò che tocca: è proprio **un castigo di Dio**!

Essere un bastardo/a È una maniera piuttosto espressiva per riferirsi a una persona cattiva o che in una determinata situazione fa una cattiveria. Si tratta di un insulto ed è molto colloquiale. Esiste anche la versione volgare **essere uno stronzo/a**.

○ Valerio è proprio **un bastardo**: ha fregato la ragazza al suo amico Daniele!

Essere senza cuore, avere un cuore di ghiaccio / di pietra

Tre espressioni simili per indicare la mancanza di sensibilità. Nel primo caso l'accento è sulla mancanza di umanità, nel secondo sulla freddezza, nel terzo sulla durezza d'animo.

○ Bisogna proprio **essere senza cuore** per non commuoversi di fronte a un cucciolo abbandonato.

Essere una peste

L'accostamento con la *peste*, la terribile malattia infettiva e contagiosa che ha tormentato l'Europa per secoli, è molto espressiva. Spesso la metafora è applicata a un/a bambino/a insopportabile, irrequieto e capriccioso.

○ Quel Carletto **è una** vera **peste**! Al ristorante non è stato fermo un momento, ha rotto due bicchieri e ha fatto cadere un povero cameriere!

Non essere uno stinco di santo

Lo *stinco* è qui sinonimo della *tibia*, l'osso lungo della gamba. Probabilmente l'allusione è ai reliquiari medievali che conservavano i resti dei santi. L'espressione si riferisce a una persona che ha una condotta poco onesta e poco retta. Spesso è utilizzato in modo ironico o scherzoso.

○ Io non so se è vero quello che si dice in giro di Pippo: che frequentava brutte compagnie, che ha avuto problemi di droga, che è stato addirittura in prigione... Ma una cosa è certa: **non è uno stinco di santo**!

Essere un Giuda   Giuda è tristemente famoso per aver tradito Gesù Cristo, per questo, quando diamo del Giuda a una persona, lo stiamo accusando di tradimento.

○ ▪ Te lo giuro, Marco! Tra me e Lisa non c'è stato assolutamente niente!
   • **Sei un Giuda!** Vi ho visti mentre uscivate dal cinema e vi baciavate! Come hai potuto farmi questo?!

Essere una carogna   Espressione popolare rivolta a una persona che si comporta in maniera vergognosa. In senso stretto, si definisce *carogna* il cadavere di un animale in putrefazione ed è per questo una delle immagini più efficaci per evocare l'idea del disgusto. Esiste anche la variante **fare la carogna**.

○ Certo che per rubare la pensione a un povero anziano bisogna proprio **essere una carogna**!

○ Non **fare la carogna** e prestami gli appunti per l'esame. Io ti ho aiutato un sacco di volte!

Essere una banderuola al vento   Significa *essere una persona volubile o influenzabile*, che cambia facilmente opinione come una banderuola cambia direzione a seconda di dove soffia il vento. **Essere un voltagabbana** è un'espressione simile alla precedente, ma qui l'immagine ha origine dall'ambito militare: *gabbana*, infatti, è un sinonimo di *casacca* e pare che in passato i soldati che disertavano la indossassero a rovescio per non essere riconosciuti.

○ Non possiamo fare affidamento sul voto di Cassetti, **è una banderuola al vento** e voterà chi gli conviene di più.

Credersi un padreterno Si crede un Padreterno chi si dà grande importanza, chi si ritiene molto potente o molto capace e perciò ha un atteggiamento arrogante nei confronti del prossimo, come se fosse convinto di essere Dio. Di significato affine è **credersi chissà chi**.

○ Ma questo **si crede un padreterno**? Solo perché ha un master in MBA non si deve azzardare a trattarci come dei poveri scemi!

Essere una banderuola al vento

DARE I NUMERI

ASTUZIA, STUPIDITÀ E FOLLIA

astuzia

Capire le cose al volo

L'espressione è riferita a chi sa capire un concetto con poche spiegazioni. Si dice anche **capirsi al volo** quando due persone si capiscono fra loro senza bisogno di parlare o parlando poco.

○ ■ Allora, come ti trovi a lavorare con Luisa?
  ● Benissimo! Dopo una settimana sa già fare tutto da sola, **capisce le cose al volo**!

Essere una vecchia volpe, essere furbo come una volpe, essere un volpone

Si dice di chi è molto furbo, come la volpe, animale che, secondo la tradizione, è dotato di una grande furbizia.

○ ■ Sai con chi esce adesso Daniele? Con la figlia del Direttore generale...
  ● È proprio una **vecchia volpe**!

Essere (acuto come) un'aquila

Significa *essere particolarmente intelligenti.* L'aquila, infatti, non è simbolo solo di potenza e di nobiltà, ma anche d'intelligenza.

○ Sei riuscito a capire come risolvere il problema? Ma tu **sei un'aquila**!

Avere un lampo di genio — Significa *avere un'intuizione geniale* che, all'improvviso, consente di risolvere un problema. Il *lampo*, appunto, rappresenta la velocità con cui si manifesta l'idea.

○ Per una settimana non sono riuscito a collegarmi a internet, poi ieri **ho avuto un lampo di genio** e ho capito che era un problema di configurazione del mio computer!

Fare il furbo — Si dice a chi cerca di ottenere dei vantaggi anche ai danni del prossimo. Spesso facendo credere qualcosa che non è vero.

○ Ehi, dico a te! Hanno visto tutti che sei arrivato per ultimo. Quindi **non fare il furbo** e mettiti in fila come gli altri!

Saperne una più del diavolo, saperla lunga — Entrambe le espressioni significano *essere molto furbi*. Nel primo caso si fa riferimento al diavolo in quanto personaggio abituato a compiere azioni molto astute.

○ Bruno **ne sa una più del diavolo**: dopo l'incidente con la moto ha denunciato la compagnia d'assicurazione e gli hanno dato un sacco di soldi.

stupidità

Essere senza cervello — È una delle espressioni maggiormente utilizzate per riferirsi a persone che non sono dotate d'intelligenza o che non la usano.

○ Il fidanzato di Lia è un bellissimo ragazzo, però
è **senza cervello**! Lo conosco da quasi un anno
e non ha detto una sola cosa intelligente...

Avere poco sale in zucca, essere una zucca (vuota)

È un modo di dire riferito a chi è poco intelligente. Il *sale* è usato con il significato cristiano di *sapienza*, mentre *zucca* è il termine scherzoso con cui si indica la testa.

○ Beh, sai anche tu com'è Lucia: una cara
ragazza, ma se ci parli per più di cinque minuti
capisci che **ha poco sale in zucca**.

Essere una testa di rapa / di cavolo

Si dice di una persona poco intelligente, che non capisce bene le cose. Queste espressioni vengono indirizzate anche a chi fa un errore stupido, che si può evitare. La poca intelligenza è qui paragonata allo scarso valore che hanno i due ortaggi.

○ ▪ Oh no! Ho caricato la caffetteria e mi sono
dimenticata di mettere l'acqua!
● Che **testa di rapa** che sei!

Essere un pollo, un tordo o un merlo

Significa *essere ingenuo e credulone*. Altre espressioni che hanno gli uccelli come protagonisti sono: **essere un'oca giuliva**, che si dice a una donna sciocca e superficiale; **avere un cervello da gallina**, che si riferisce alla mancanza d'intelligenza. Tutte queste espressioni si fondano sul luogo comune che gli uccelli, avendo un cervello piccolo, siano stupidi.

○ ▪ Gli ho dato un sacco di soldi: lui diceva che li
investiva in borsa... invece ho scoperto che li
ha persi tutti al gioco!
● **Sei un pollo**! Lo sanno tutti che Giacomo ha
il vizio del gioco!

Essere tardo / duro di comprendonio È un modo scherzoso per mettere in evidenza la lentezza mentale di qualcuno. *Letteralmente* **essere tardo** *significa capire tardi, e* **duro di comprendonio** *si riferisce alla difficoltà di comprensione.*

○ Senti, forse **sono** un po' **dura di comprendonio**, ma mi devi spiegare un'altra volta come funziona questo programma...

follia

Essere fuori (di testa) Tipica del linguaggio giovanile, l'espressione indica un atteggiamento, un commento o un discorso senza senso, privo di logica; **essere fuori come un balcone** è una variante ancora più colorita.

○ ▪ Sai cos'ha fatto Patrizia? È uscita con un suo ex per far ingelosire il suo ragazzo...
  ● Quella ragazza è proprio **fuori di testa**!

Mancare una / qualche rotella (a qualcuno) Quando qualcuno si comporta in modo molto stravagante, si dice che *gli manca una rotella*, proprio come a un orologio a cui non funzionano bene gli ingranaggi. Esistono delle varianti: **avere una / qualche rotella fuori posto**, **non avere tutte le rotelle a posto**.

○ ▪ Oddio hai visto quel matto che parla e balla da solo in mezzo alla piazza?!
  ● Non preoccuparti, non è pericoloso. **Gli manca** solo **qualche rotella**, ma è una brava persona.

Dare di volta il cervello (a qualcuno) Equivale a *impazzire improvvisamente*. Si usa spesso per riferirsi a una persona che si comporta inaspettatamente in maniera bizzarra o pretende cose assurde.

○ Ehi, ma **ti ha dato di volta il cervello**? Passare a tutta velocità con il semaforo rosso?!

Dare i numeri Significa *essere impazziti*, si usa quando qualcuno dice o fa cose senza senso. Viene dal gioco del Lotto, in cui si annunciano i numeri senza seguire nessuna sequenza logica.

○ Andare in giro per monumenti nel centro di Roma con 37°?! Ma tu **dai i numeri**! Moriremo di caldo!

Roba da matti Tipico dei matti è pensare o fare qualcosa di incredibile, inconcepibile o assurdo, proprio perché non ragionano in maniera logica.

○ Abbiamo aspettato quattro ore all'imbarco e poi ci hanno detto che il volo era stato cancellato: **roba da matti**!

Essere matto come un cavallo / matto da legare Si usa per riferirsi a chi si comporta in maniera piuttosto strana. Nel primo caso la similitudine viene fatta con il cavallo, un animale che può essere imprevedibile; nella seconda espressione, il riferimento è alla camicia di forza, usata in passato nei manicomi per immobilizzare i pazienti più agitati.

○ ▪ Ma lo sai che Graziella ha comprato due galline da tenere in giardino?!
 • Cosa?! **È matta come un cavallo**!

OFFRE LA CASA!

AVARI O PRODIGHI

avari

Fare alla romana

Significa dividere in parti uguali una spesa, soprattutto il conto del ristorante. L'aggettivo *romana* deriva, molto probabilmente, dalle gite fuori Roma, in cui si facevano delle merende abbondanti e ogni partecipante pagava la propria quota.

○ ▪ Ecco il conto: 130 €... Allora paghi tu, no?
● Stai scherzando?! **Facciamo alla romana**, come sempre!

Essere un pidocchioso

Ha valore spregiativo e indica una persona molto avara e attaccata ai soldi. Il riferimento è al *pidocchio*, un parassita.

○ Bruno **è** proprio **un pidocchioso**: gli ho chiesto una sigaretta e ha voluto un euro in cambio!

Avere le braccine corte

Significa *essere avaro*: se il braccio è corto, non arriva alla tasca per prendere i soldi.

○ ▪ Ma lo sai che Cristina per il nostro
matrimonio ci ha regalato una pianta?
● Non mi sorprende: lo sanno tutti che **ha le
braccine** molto **corte**!

Essere uno spilorcio / un taccagno / un tirchio

Si può dire in vari modi ma il significato è sempre quello: *avaro*!

○ ▪ Da noi in Italia i genovesi hanno fama di
essere **tirchi**.
● Ah, davvero? In Spagna sono i catalani ad
essere considerati **taccagni**, mentre nel Regno
Unito gli **spilorci** sono gli scozzesi.
▪ Chissà da dove vengono questi stereotipi!

prodighi

Avere le mani bucate, spendere e spandere

Entrambe le espressioni significano *spendere molto*, buttare il denaro in spese inutili o esagerate. Nel primo caso si usa la metafora delle mani piene di buchi che, quindi, non riescono a trattenere i soldi; nel secondo, quella del denaro come acqua che si rovescia da un recipiente. Altra variante piuttosto comune è **essere uno spendaccione**, un accrescitivo derivato del verbo *spendere*.

○ ▪ Lo sai come sono fatta... per le borse
impazzisco, non riesco a resistere, comprerei
tutto il negozio!
● Sì lo so, **hai le mani bucate**!

○ Io proprio non la capisco, Luisa: si lamenta
sempre del fatto che ha pochi soldi e poi
spende e spande ogni volta che usciamo a
fare shopping.

Offre la casa   Chi lo dice ha intenzione di offrire da bere o da mangiare. Lo può dire anche il titolare del locale che offre ai propri clienti.

- Quanto ti devo per il caffè e il cornetto?
- No, lascia stare: **offre la casa**.

Essere di manica larga   L'espressione non indica tanto la generosità legata al denaro, ma si utilizza per chi è molto indulgente e tollerante. L'origine si trova nella veste dei frati, che ha le maniche larghe. Ma perché i frati? Perché erano molto più indulgenti del clero normale per perdonare i peccati.

- La professoressa **è stata di manica larga** con Giulio. Non si meritava un voto così alto.
- Eh già, ha avuto proprio fortuna.

Non badare a spese   Significa *non preoccuparsi di spendere molto* e di solito si usa quando la spesa è giustificata da qualcosa di importante (per chi la fa).

- Sergio **non bada a spese** quando si tratta di fare felici i suoi figli: a Natale ha speso un sacco di soldi in giocattoli!

Buttare i soldi dalla finestra   Espressione usata per indicare uno spreco di soldi ingiustificato, inutile.

- Se vuoi **buttare i soldi dalla finestra**, fai pure. Ma dimmi, a cosa ti serve un cellulare nuovo? Ne hai comprato uno solo sei mesi fa!

SANO COME UN PESCE

SALUTE E MALATTIA

salute

Fresco come una rosa La rosa, oltre ad essere il simbolo dell'amore, rappresenta la bellezza. Essere fresco come una rosa significa, dunque, *essere in ottime condizioni fisiche e riposato*, avere un colorito sano e roseo come quello di un bambino.

○ Le vacanze ti hanno fatto proprio bene, adesso **sei fresco come una rosa**!

Forte come una quercia La quercia è un albero molto grande che resiste a tutte le intemperie. In riferimento alla salute, chi **è forte come una quercia** ha un fisico molto resistente e non si ammala quasi mai.

○ Mio fratello è incredibile: non si ammala mai, ha una resistenza fisica notevole... **è forte come una quercia**!

Sentirsi un leone   Equivale a *sentirsi molto forti*, in gran forma, pieni di vigore, proprio come il re della
foresta: il leone. Molto comune anche con il
verbo *essere*: **essere un leone**.

> ○ • Elisa, ti trovo proprio bene ultimamente.
> Sembri piena di energia, in ottima forma.
> ▪ Sì, guarda, **mi sento un leone**!

Sano come un pesce   Significa *essere in perfetta salute*. L'espressione ha origini molto antiche: si credeva,
infatti, che i pesci non si ammalassero mai,
probabilmente perché è molto difficile vedere un pesce che sta male.

> ○ Mia nonna non si prende mai neanche un
> raffreddore! È **sana come un pesce**!

Essere in forma   In senso letterale l'aggettivo *smagliante* è ri-
smagliante   ferito a un colore brillante, splendente; qui è
significa *ottimo* e l'espressione è sinonimo di
essere in perfetta forma.

> ○ ▪ Dopo il parto Veronica è tornata al lavoro: **è
> in forma smagliante**, sembra una ventenne!
> • Beata lei!

Scoppiare di salute   Significa *essere visibilmente in perfetta forma fisica*: la quantità di salute che si ha è
talmente tanta, che alla fine si scoppia.

> ○ Signor Ferrucci, le analisi sono tutte a posto, i
> valori sono tutti dentro la norma, non c'è
> niente che non vada bene. Lei **scoppia di
> salute**!

malattia

Avere una brutta cera

È un modo per dire che siamo pallidi e sciupati e sembriamo malati. La parola *cera* è un sinonimo di *viso, faccia*. **Avere una bella cera** ha il significato esattamente opposto: **avere un aspetto sano**.

○ ▪ **Hai una brutta cera**, sei sicura di star bene?
   ● No, stanotte non ho chiuso occhio per il mal di stomaco: forse è meglio se vado dal medico.

Ridursi uno straccio

Letteralmente si riferisce a capi d'abbigliamento o tessuti che si sono rovinati irrimediabilmente. In senso figurato, è detto di malattie o preoccupazioni che indeboliscono molto. Al posto del verbo *ridurre*, si può usare anche *sentirsi*.

○ A forza di lavorare giorno e notte, Lucio **si è ridotto uno straccio**: se non si prende urgentemente delle ferie, credo che avrà un esaurimento nervoso.

Un morto che cammina

Essere così malandato da avere un aspetto cadaverico. Espressione analoga **è un morto in piedi**. Entrambe le immagini possono essere precedute dai verbi *essere* o *sembrare* o da *come*.

○ ▪ È da qualche mese che Marco sembra **un morto che cammina**: sta sempre male, è pallido ed è dimagrito molto. Ma che gli succede?
   ● Secondo me si stanca e si stressa troppo.

Sentirsi a pezzi Essere, cioè, talmente stanchi o abbattuti da sentirsi come *rotti in tanti pezzi*. Si usa sia per riferirsi allo stato fisico che a quello psicologico.

○ ■ Non so te, ma io tra figli, lavoro e casa, la sera **mi sento a pezzi**!
● Ah, non me lo dire! Io andrei a dormire alle otto di sera!

Reggere l'anima coi denti Letteralmente significa *essere allo stremo delle forze, essere sul punto di morire*: si rimane vivi solo perché si trattiene l'anima con i denti. Generalmente, però, si usa per riferirsi a chi è molto debilitato e mal ridotto, senza il senso tragico della morte.

○ ■ Che dici, per il trasloco chiediamo aiuto a Maurizio?
● Ma va! Maurizio **regge l'anima coi denti**, quello non ce la fa neanche sollevare un libro!

Sentirsi a pezzi

DA URLO

GUSTI PERSONALI

mi piace

Andare a genio   *Genio* è qui sinonimo di gradimento, e l'espressione ha, quindi, il significato di *piacere, essere gradito*. È comune anche la forma negativa **non andare a genio**.

    ○   La tua idea di fare una gita in campagna per cambiare un po' d'aria mi **va** proprio **a genio**.

Andare pazzo / matto per   Quando si desidera qualcosa con grande intensità, l'attrazione può essere così forte da provocare pazzia. Questo è il ragionamento che sta alla base dell'espressione, tuttavia si usa quando una cosa ci piace tantissimo senza, però, perdere la ragione.

    ○   Hai fatto la crostata alla nutella?? Oddio grazie! **Io vado pazza per** la nutella! Che buona!!

Da urlo, mitico, bestiale   Modi di dire tipici del linguaggio giovanile, vengono usati come sinonimi di *eccezionale, fantastico* o *straordinario*.

    ○   ■ Allora com'è stato il concerto di Vasco Rossi? **Mitico**, no?
      ● **Da urlo**! Un'esperienza davvero fantastica!

Essere una figata Espressione tipica del linguaggio giovanile riferita a tutto ciò che è bello, interessante, piacevole: persone, situazioni o eventi. Spesso usata come esclamazione nella forma *che figata!* o *è una figata!*

○ ▪ È il nuovo smartphone, no? **Che figata!**
   • Sì, guarda, è proprio **una figata**, è velocissimo, la batteria dura un sacco, ha tantissime funzioni ed è facile da usare!

Essere la fine del mondo Si usa per riferirsi a una cosa talmente bella e straordinaria da credere che al mondo non può esistere niente di meglio.

○ Ti consiglio di andare al più presto all'esposizione su Bernini e Canova, è veramente straordinaria... **è la fine del mondo**!

Essere il non plus ultra Secondo la mitologia le parole *non plus ultra*, "non oltre", erano incise sulle due colonne erette da Ercole per segnare i confini del mondo. Oggi, nel linguaggio corrente, la locuzione latina si usa per indicare il limite estremo, in positivo, che si può raggiungere in un determinato ambito e, quindi, per estensione anche la qualità insuperabile di un prodotto.

○ Il modello in esposizione è il **non plus ultra** delle smart tv: tecnologia oled, schermo ultrapiatto di 60 pollici, regolazione automatica del volume...

Forte Un altro aggettivo a cui il gergo giovanile ha dato un senso diverso rispetto a quello della lingua standard: forte è tutto ciò che è interessante e degno di ammirazione.

○ ▪ Perché stasera non andiamo in spiaggia con
le chitarre? Potremmo anche fare il bagno al
chiaro di luna.
● **Forte**! Sì, dai, andiamo!

Prendere bene Anche questa è un'espressione che fa parte
del gergo giovanile e si usa per indicare qualcosa che appassiona e coinvolge. **Prendere
male**, al contrario, è detto di ciò che risulta
molto sgradito. Spesso si usano i participi
preso, nel senso di *attratto*, e *preso male*, in
quello di *annoiato, seccato*.

○ È la prima volta che sto insieme a una ragazza
più grande di me, ma la storia mi **prende
bene** e non mi faccio nessun problema.

Stravedere **Stravedere per qualcuno** significa *provare
un affetto grandissimo* (a volte esagerato) per
una persona; **stravedere per qualcosa**, invece, significa *mostrare una predilezione speciale* per un'attività, una disciplina, un'arte,
ecc.

○ Marina **stravede** per il suo ragazzo e non
riconoscerebbe mai che è solo un vanitoso con
poco cervello.

non mi piace

Che palle! È l'espressione più comune che esiste nell'i-
taliano colloquiale per manifestare fastidio
e insofferenza nei confronti di qualcuno o
qualcosa. Esiste anche la versione più "edu-
cata" **che pizza!**

○ ▪ Oh ricordati che domani abbiamo la riunione
di condominio...
● Nooo! Oddio **che palle!**

Fare schifo, che schifo!   *Schifo* è un termine usatissimo nella lingua
italiana ed esprime disgusto e ripugnanza
nei confronti di qualcosa o qualcuno.

○ ▪ Oh no! Ho pestato una cacca di cane!
● **Che schifo!** Pulisciti bene le scarpe prima di
tornare a casa...

Niente dell'altro mondo   Si usa per esprimere che una cosa o una persona non ci convince del tutto, non ci piace
molto.

○ ▪ Com'è il nuovo film di Muccino?
● Mah... **niente dell'altro mondo.** C'è
qualche attore bravo, ma la trama è un po'
banale.

Essere un mattone   Qui il *mattone* (la sua pesantezza) è usato
per analogia, innanzitutto, con qualsiasi
libro voluminoso, difficile e noioso; poi l'e-
spressione è stata estesa anche a film o spettacoli un po' pesanti.

○ ▪ Ti è piaciuto l'ultimo romanzo di DeLillo?
● No, **è un mattone** tremendo: dopo il primo
capitolo ho smesso di leggerlo.

Non è il mio genere,   Sono due modi delicati, ma allo stesso tempo
non fa per me   fermi, per dire che qualcosa non ci piace.

○ ▪ Che ne dici di andare al cinema a vedere
l'ultimo film di Tarantino?
● Ti ringrazio, ma **non è il mio genere.**

I gusti sono gusti Con questa frase si ribadisce il fatto che il bello in assoluto non esiste: tutto dipende dalle preferenze di ciascuno.

○ Non capisco che cosa ci trovi di bello in Enzo: è scontroso e parla solo di lavoro... Ma si sa: **i gusti sono gusti**.

Non poter vedere qualcuno Quando proprio non sopportiamo qualcuno, non lo possiamo neanche vedere.

○ ▪ Oh guarda che alla festa di Riccardo ci sarà anche Daniela.
● Oddio no! **Non la posso** proprio **vedere** quella! È insopportabile!

Una pizza, una palla Le due espressioni si usano per riferirsi a qualcosa di estremamente noioso o pesante: un discorso, un'opera, una situazione o anche una persona. La prima è la versione più "politicamente corretta".

○ ▪ Com'è stata la conferenza?
● **Una pizza**! Ho sbadigliato tutto il tempo! Mi stavo per addormentare...

Una pizza, che pizza!

FARE FIASCO

SUCCESSO E INSUCCESSO

SUCCESSO

L'ottava meraviglia Nell'antichità esisteva un elenco di sette opere architettoniche e artistiche considerate meravigliose; oggi, nel linguaggio comune, si dice che qualcosa o qualcuno è **l'ottava meraviglia** quando si pensa che sia eccezionalmente bella. Si usa anche in senso ironico.

○ ■ Allora, ti è piaciuta la visita agli Uffizi?
● Tantissimo! Guarda, la *Nascita di Venere* è **l'ottava meraviglia** secondo me.

Sulla cresta dell'onda Vuol dire *essere al massimo del successo, godere di un grande popolarità* o *essere di moda.* La cresta è la parte più alta dell'onda, quindi chi si trova in questa posizione, si trova in una situazione di grande vantaggio.

○ ■ Ma lo sai che un regista ha proposto a Ilaria di fare un film tratto dal suo romanzo?
● Davvero? Prima la pubblicazione del libro e adesso un film... Ilaria è proprio **sulla cresta dell'onda** adesso!

Avere la vittoria in tasca o in pugno Utilizziamo questa espressione quando siamo molto vicini alla vittoria o siamo sicuri di vincere. Infatti significa essere già in possesso della vittoria.

○ Con sei punti di vantaggio a due giornate dalla fine del campionato, la Ferrari **ha la vittoria in tasca**: basta arrivare in fondo alla gara ottenendo qualche buon piazzamento.

Cantare vittoria In senso figurato l'espressione si riferisce a chi è così sicuro di vincere (o di avere già vinto) che annuncia la propria vittoria prima del tempo, andando, a volte, incontro a forti delusioni. L'espressione si usa spesso in frasi che vogliono mettere in guardia qualcuno da questo rischio.

○ ■ Allora, Franco, come è andato il colloquio di lavoro?
● È andato molto bene, secondo me sono la persona di cui hanno bisogno. Ma aspettiamo a **cantar vittoria**... c'erano tantissimi altri candidati preparati e con grande esperienza.

Salire sul carro del vincitore Il carro è quello sul quale procedeva il generale romano che aveva sconfitto il nemico. Oggi **salire sul carro del vincitore** significa *appoggiare una persona o una proposta che hanno tutte le probabilità di essere vincenti.* L'espressione ha spesso una connotazione negativa: è usata, infatti, per riferirsi all'opportunismo di chi sostiene il vincitore, solo perché è vincitore.

○ ■ Che opportunisti! Adesso ci danno tutti ragione perché abbiamo vinto!
● Eh già, si affrettano tutti a **salire sul carro del vincitore**.

Spuntarla, averla vinta   Significano *riuscire in ciò che si desidera,* a volte malgrado l'opposizione o il volere altrui. **Darla vinta a qualcuno,** invece, vuol dire l'esatto contrario: *cedere a qualcuno,* piegandosi alle sue pretese.

○ ▪ Alessio è così testardo che **la spunta** sempre: anche quest'estate andremo in vacanza in montagna, anche se io adoro il mare!
● E tu non **dargliela vinta**! Se l'anno scorso siete andati dove voleva lui, quest'anno andate dove vuoi tu.

Mettere in ginocchio   Da sempre inginocchiarsi davanti a qualcuno è segno di sottomissione, quindi far inginocchiare (mettere in ginocchio) qualcuno significa *vincerlo, dominarlo* o anche *mandarlo in rovina.*

○ L'apertura del nuovo centro commerciale **ha messo in ginocchio** i commercianti del centro: in meno di un anno un negozio su tre è stato costretto a chiudere.

Vendere come il pane   Niente si vende con più facilità di una cosa necessaria e quotidiana come il pane. L'espressione si usa quindi per qualsiasi articolo molto richiesto. **Andare a ruba** ha identico significato, ma il riferimento è diverso: in questo caso il prodotto è talmente interessante che sembra che i compratori sarebbero disposti a rubarlo pur di averlo.

○ Guardi, signora, io le consiglio di prendere questo modello: lo **vendiamo come il pane** proprio perché il rapporto qualità-prezzo è ottimo.

Mettere qualcuno nel sacco
Significa *ingannare qualcuno* in modo da averlo in proprio potere come se lo si fosse catturato e imprigionato in un sacco.

○ ▪ Com'è andato il dibattito elettorale?
● Lo sfidante sembrava in difficoltà, ma poi ha fatto riferimento a una serie di dati sulla situazione economica e **ha messo nel sacco** il presidente, che non ha saputo replicare.

Fare a pezzi, massacrare, distruggere
Tre possibilità per riferirci a una vittoria schiacciante negli ambiti più disparati.

○ Dire che abbiamo vinto è dire poco: li **abbiamo fatti a pezzi**, altroché!

Come sparare sulla croce rossa
Sparare sulla Croce Rossa, che soccorre i feriti in guerra, è un atto vergognoso. Oggi, però, questa similitudine viene usata scherzosamente per indicare una vittoria estremamente facile oppure una critica scontata, evidente.

○ Certo che vincere 7 a 0 l'ultima squadra in classifica **è come sparare sulla croce rossa**: poverini, non potevano proprio reggere al confronto!

Mettere KO, mandare al tappeto, stendere
Sono tre espressioni che derivano dal pugilato. Il significato è identico: *mettere fuori combattimento l'avversario* anche in contesti che sono al di fuori dal mondo delle competizioni sportive.

○ Eccellente discorso, Federica! Li **hai messi tutti KO**!

insuccesso

Essere un caso disperato   È un'espressione che proviene dall'ambito clinico e si riferisce a un paziente giudicato inguaribile. In senso figurato si riferisce a una qualsiasi situazione destinata all'insuccesso e, quindi, senza speranza.

> ◎ ■ Ma, Emma, non avevi smesso di fumare?
> ● Magari! Ci ho provato in tutti i modi: con l'agopuntura, l'ipnosi... Non ci riesco, **sono un caso disperato**, lo ammetto.

Andare al macello   Propriamente il *macello* è **il** luogo dove si ammazzano le bestie, la cui carne va poi in macelleria. L'espressione significa, dunque, *andare incontro a una morte certa* e, inizialmente, era detto di un gruppo di soldati mandati a compiere missioni molto pericolose, in cui sarebbero sicuramente morti. L'espressione ha poi assunto dei connotati più ampi e oggi si utilizza quando qualcuno deve affrontare una situazione pericolosa e con possibilità di riuscita pari a zero. Molto comuni anche le espressioni **portare o condurre qualcuno al macello.**

> ◎ Non possiamo affrontare gli avversari così, non abbiamo mezzi sufficienti. Sarebbe come **andare al macello**.

Mordere la polvere   Significa *essere duramente sconfitti*, riportando gravi danni. È un ricordo delle antiche battaglie equestri, in cui cadere da cavallo e, quindi, mordere la polvere voleva dire morte certa per il cavaliere. Oggi appartiene al registro letterario. Anche **mangiare la polvere** significa *essere battuti da un rivale*, ma qui la polvere è quella sollevata dal passaggio di un ciclista in testa alla corsa. L'espressione risale ai tempi eroici del ciclismo, quando le strade erano in terra battuta.

○ Oggi ci avete fatto **mordere la polvere**, ma ci rivediamo fra un paio di mesi, e allora vedrete chi sarà il più forte!

Vittoria di Pirro È una citazione dotta che si basa su un episodio della storia antica: Pirro, re dell'Epiro, nel 280 a.C. sconfisse i romani ad Eraclea, ma la vittoria gli costò perdite così grandi da essere quasi peggio di una sconfitta. Da qui, in senso figurato, una **vittoria di Pirro** indica un successo conseguito a prezzo di enormi perdite e sacrifici che, alla fine, non porta nessun vantaggio al vincitore.

○ Ha vinto la causa, ma è stata una **vittoria di Pirro**: gli è costata un patrimonio.

Essere un fiasco, fare fiasco In senso figurato significa *grosso insuccesso*, anche se non è ben chiaro il nesso con il *fiasco*, il tradizionale contenitore per vino e olio. L'espressione nasce nel gergo teatrale e ancora oggi si applica soprattutto a proposito di film o spettacoli che non riscuotono il consenso del pubblico. Se l'insuccesso è veramente pesante, il sostantivo fiasco è accompagnato dagli aggettivi *solenne* e *colossale*. Esiste anche **fare fiasco** nel significato di *non superare una prova*.

○ ▪ Questa compagnia di teatro è buona, però il
loro ultimo spettacolo **è stato un fiasco**.
● Già... Secondo me era troppo strano e
nessuno l'ha capito.

○ ▪ Ehi com'è andato il provino per il
cortometraggio?
● **Ho fatto fisco**! Ero troppo nervoso, l'ho
fatto proprio male!

Essere un disastro   Un *disastro* è propriamente una *catastrofe*,
ma in senso figurato si dice di persona che
provoca danni o è causa di preoccupazioni.
Se si riferisce a cose, equivale a *guaio, grande confusione* o *fallimento*.

○ Vittorio è abbastanza bravo in cucina però con
i dolci **è un disastro**: brucia le torte e anche
le pentole!

○ Anna, la tua relazione **è un** vero **disastro**!
Riscrivila se non vuoi che il capo si arrabbi.

Gettare la spugna   Quando un pugile è in grave difficoltà di
fronte all'avversario, il suo secondo getta
la spugna (oggi la spugna è stata sostituita
dall'asciugamano) per dichiarare la resa e
chiedere l'interruzione del combattimento.
Dunque, in senso figurato, significa *arren-
dersi* o *rinunciare a un'impresa*.

○ E va bene, questa volta è andata male, ma non
gettare la spugna adesso: continua a provarci
e vedrai che troverai un produttore per il tuo
disco.

Essere una causa persa   Questa espressione, proveniente dalle aule dei tribunali, si usa per una persona o una situazione inevitabilmente destinata all'insuccesso.

○ Sarò anche pessimista, ma secondo me lottare contro la corruzione in politica **è una causa persa:** tutti vogliono rubare e arricchirsi!

Caporetto   È un piccolo centro della Slovenia che prima si trovava nella provincia di Gorizia (Friuli-Venezia Giulia). Durante la Prima guerra mondiale fu teatro di una battaglia disastrosa per l'esercito italiano. Da qui deriva l'uso odierno per indicare *una disfatta, una sconfitta pesantissima.*

○ Le elezioni amministrative si sono rivelate **una Caporetto** per l'opposizione, che ha perso molti comuni che prima erano suoi.

Essere un fiasco, fare fiasco

A TUTTA BIRRA

LENTEZZA E VELOCITÀ

lentezza

Cullarsi sugli allori L'alloro è, tradizionalmente, il simbolo della gloria e della vittoria. L'espressione significa quindi *adagiarsi sui successi passati* e non sforzarsi più per ottenere dei buoni risultati.

○ Ragazzi, siete stati bravi, avete vinto le ultime partite. Ma non **cullatevi sugli allori**: il campionato è cominciato da poco e gli avversari sono forti.

Dormire in piedi Di solito lo fa chi è stanchissimo, ma in senso figurato può significare anche *essere lenti a capire le cose.*

○ ■ Ho paura che Adriana voglia fregarmi il posto di responsabile...
● Stai tranquillo, quella **dorme in piedi**, non potrebbe avere questo ruolo.

Lento come una lumaca / una tartaruga / un bradipo I tre animali sono famosi per la loro lentezza. Queste espressioni, comunque, si riferiscono non solo al camminare, ma a qualsiasi altra attività. Comune è anche l'espressione

a passo di lumaca, detto di chi procede piano piano.

○ ▪ Sbrigatevi! Siete **lenti come delle lumache!**
Così non arriveremo mai!
● Uffa! Siamo stanchissimi: è più di tre ore che
camminiamo senza mai fermarci!

Girarci intorno Si gira intorno a un discorso, a una questione o a un problema quando non si vuole
affrontarli direttamente, e quindi si prende tempo facendo il giro intorno. Anche in
menare il can per l'aia il concetto è sempre
quello di rimandare o evitare qualcosa. L'immagine è quella di un cane che viene portato
in giro nel cortile interno delle case. Del tutto simile è l'espressione **tirare o andare per
le lunghe**.

○ È inutile che **ci giri intorno**: ho capito che non
ti va di accompagnarmi alla festa di sabato.
Non ti preoccupare, ci andrò da sola!

Campa cavallo! L'esclamazione si usa ironicamente quando
si dubita che un fatto si verifichi veramen-
te. Deriva dal proverbio **campa cavallo che
l'erba cresce** che significa, appunto, *porta
pazienza che forse quello che desideri si avvera*. Di significato simile è **Aspetta e spera**,
che deriva da un verso di una famosa can-
zone coloniale fascista, e che oggi ha perso totalmente il suo significato originario.
Spesso si aggiunge (aspetta e spera) **che poi
si avvera**.

○ ▪ Gianluca ha promesso a Simona che appena
gli faranno il contratto a tempo indeterminato
andranno a vivere insieme.
● Sì, **campa cavallo!** Ogni anno è la stessa
storia e poi ognuno rimane a vivere a casa
sua...

Muoversi a passo d'uomo Si dice di un veicolo che procede alla velocità corrispondente all'andatura del passo di un uomo, quindi molto lentamente.

○ ▪ Non arriveremo mai per cena... la coda è lunga chilometri e ci **stiamo muovendo a passo d'uomo**!

velocità

Bruciare le tappe Significa *procedere in modo molto veloce*. Quando la posta veniva consegnata tramite corrieri a cavallo, questi, in caso di urgenza, rinunciavano a fermarsi negli alberghi di posta (le *tappe*, appunto) per guadagnare tempo e arrivare il prima possibile.

○ Il nuovo ministro dell'Ambiente è un uomo che **ha bruciato le tappe**: ha cominciato l'attività politica giovanissimo, diventando deputato al Parlamento a soli trent'anni.

In men che non si dica Si riferisce a una cosa che risulta più veloce fare che dire. Identico concetto esprime l'espressione **detto, fatto**.

○ ▪ Oddio dobbiamo ancora fare l'ordine dei nuovi prodotti!
● Non ti preoccupare, si fa **in men che non si dica**: la lista è già pronta, dobbiamo solo inviarla per e-mail.

Volare   Il verbo *volare* in questo caso indica qualcosa che procede molto velocemente. Se, però, stiamo parlando di notizie, allora il significato è quello di *diffondersi rapidamente*.

◉ È tardissimo: il treno parte tra venti minuti! Dobbiamo **volare**!

Essere più veloce della luce   Secondo la teoria della relatività, la luce viaggia nel vuoto alla velocità costante di circa 300.000 km al secondo. L'espressione significa quindi *procedere con una velocità straordinaria*.

◉ Hai già fatto tutto quello che ti avevo chiesto? Ma **sei più veloce della luce**!

In un batter d'occhio, in un battibaleno o in quattro e quattro otto   Tre espressioni diverse per esprimere l'immediatezza. La prima fa riferimento alla velocità con cui si aprono e chiudono le palpebre; la seconda a quella del baleno, che è un sinonimo di lampo; la terza al pochissimo tempo necessario per fare la somma di quattro più quattro.

◉ Ho preparato la valigia **in un batter d'occhio**, sono uscito di casa e ho preso il primo taxi libero: in meno di venti minuti ero già all'aeroporto.

Avere una fretta del diavolo   Il nome del diavolo ricorre in numerosissime espressioni di uso comune e familiare con senso iperbolico, cioè di esagerazione: in questo caso *del diavolo* sta per *enorme*.

◉ Scusa se non ti faccio compagnia a pranzo, ma **ho una fretta del diavolo**: tra mezzora devo essere dal dentista che sta dall'altra parte della città.

Avere il fuoco sotto il culo / sotto i piedi Modo di dire molto colloquiale usato per indicare impazienza e fretta. L'immagine è proprio quella di qualcuno che non può stare fermo perché ha il fuoco sotto al sedere (o ai piedi) e deve, quindi, muoversi.

○ ▪ Ma dov'è Gaia, è già andata via? Non mi ha neanche salutato...
● Lasciala perdere... quella **ha il fuoco sotto il culo** e non riesce a stare ferma per più di mezzora in un posto.

Schizzare Propriamente si dice di un liquido che fuoriesce dal suo contenitore, ma se il verbo lo accostiamo a persone, il significato diventa quello di *allontanarsi di scatto* dal posto in cui ci si trova. Spesso è anche accompagnato da *via* (**schizzare via**).

○ ▪ Sei riuscito a bloccare quel tipo che ti ha rubato la bici?
● Macché! Appena mi ha visto **è schizzato via**! E chi lo prende più adesso

Fulmine, saetta, razzo, missile, scheggia Sono tutti sostantivi che, a partire da ambiti diversi (la natura i primi due, la tecnologia gli altri tre), hanno una caratteristica comune: la velocità. Spesso sono preceduti da verbi come *andare, correre* e *partire*.

○ **È partito come un razzo**: non ho fatto nemmeno in tempo a salutarlo.

Scorciatoia La *scorciatoia* è una strada secondaria più breve della principale. In senso figurato, è il mezzo più rapido e sbrigativo per raggiungere un obiettivo.

> ○ Tu dici che questa è una **scorciatoia** per pagare meno tasse, per me invece è semplicemente evasione fiscale!

Le ali ai piedi Mercurio, il velocissimo messaggero degli dei, aveva le ali ai piedi. Significa, dunque, *procedere a gran velocità* ed è preceduto generalmente da *andare, avere* o *mettere*.

> ○ La prospettiva di una promozione **ha messo le ali ai piedi** a Carlo: è sempre il primo a consegnare le relazioni e a finire il lavoro.

Su due piedi, lì per lì Entrambe le espressioni si usano per riferirsi al momento, a un tempo molto limitato in cui si deve agire o prendere una decisione.

> ○ Capisci anche tu che non è facile trovare una soluzione così, su **due piedi**: dammi almeno il tempo di riflettere!

A spron battuto, di gran carriera, a tamburo battente Sono tre antiche espressioni: le prime due fanno riferimento all'andatura veloce del cavallo, mentre la terza in origine significava *arrivare mentre il tamburo sta dando ancora il segnale.* Oggi, con uso figurato, equivalgono a *di gran corsa* o *in gran fretta.* Sono più comuni nell'ambito letterario.

> ○ Il responsabile del personale è uno che vuole essere obbedito **a spron battuto** e non accetta nessun tipo di obiezione.

A tutta birra È una delle espressioni italiane più comuni per dire *a tutta velocità.* Probabilmente deriva da un fraintendimento del francese *à toute bride,* cioè *a tutta briglia*: le briglie sono le redini con cui si guida il cavallo, che si lasciano sciolte per far correre l'animale. Modo di dire dal senso e dal contesto affine è **a rotta di collo**: nel gergo dei cavalieri *andare a rotta di collo* significava *galoppare velocemente*.

○ Povera Elena! Sempre in ritardo: stamattina l'ho vista che andava **a tutta birra** al lavoro.

A tutto gas, a manetta   Significa *andare alla velocità massima*. Sono due espressioni nate con l'invenzione dell'automobile: il *gas* si riferisce al carburante del motore a scoppio, mentre la manetta è la manopola che ne regola l'afflusso. Soprattutto il secondo modo di dire gode ancora di grande vitalità e fa parte del gergo giovanile.

○ Quel tipo è un pericolo ambulante in moto! È partito **a manetta** e per poco non mi metteva sotto!

Le ali ai piedi

MA DAI!

INCREDULITÀ, SORPRESA

Chi non muore si rivede! Se incontrare qualcuno che non vediamo da molto tempo è una piacevole sorpresa, diciamo questa frase; spesso, però, l'intenzione è quella di un piccolo rimprovero a chi da tempo non si faceva vedere.

○ ■ To', **chi non muore si rivede!** Ma dove sei stato tutto questo tempo?
● Beh, sai, ho lavorato tantissimo...
■ Vabeh, però una telefonata la potevi fare ogni tanto!

Dici davvero?, Sul serio? Domande che esprimono stupore e sorpresa, più che incredulità. Si usano, infatti, quando non ci aspettiamo la notizia che ci danno o il commento che ci fanno.

○ ■ Ma lo sai che Katia si è tagliata i capelli cortissimi?
● **Dici davvero?** Proprio lei che li ha sempre portati lunghissimi...

Stai scherzando, vero? È un modo informale con cui esprimiamo la nostra incredulità di fronte a qualcosa di così insolito che ci fa pensare ad uno scherzo.

○ ▪ Basta, non ce la faccio più, lascio il lavoro!
● **Stai scherzando, vero?** Fai un lavoro bellissimo e hai uno stipendio alto!

Non dire sciocchezze! Esclamazione che appartiene al registro colloquiale usata per manifestare scetticismo e un certo fastidio.

○ ▪ Secondo me Lorenzo non è il ragazzo che fa per te, è egoista e poco presente...
▪ Ma **non dire sciocchezze!** Prima di tutto non lo conosci bene e poi è pieno di attenzioni!

Ma dai! Esclamazione che usiamo per manifestare sorpresa, sia per una situazione positiva che per una negativa.

○ ▪ Oggi in facoltà ho incontrato Filippo, mi ha detto che farà l'Erasmus a Praga.
● **Ma dai!** Così potrà stare vicino alla ragazza che ha conosciuto quest'estate!

Chi l'avrebbe mai detto! Una frase che sottolinea meraviglia con un po' d'incredulità. Si usa sia per manifestare una sorpresa positiva e negativa.

○ ▪ Carlotta si è laureata in medicina con il massimo dei voti.
● **Chi l'avrebbe mai detto!** A scuola era una pessima studentessa, non aveva voglia di fare niente...

Raccontala a un altro! Quando abbiamo il sospetto che qualcuno ci sta raccontando una bugia, o una versione molto personale della realtà, con questo imperativo avvisiamo il nostro interlocutore a darci la versione corretta delle cose.

> ■ Ti sembra questa l'ora di arrivare? È quasi
> un'ora che ti aspetto!
> ● Scusami, scusami, ma non è colpa mia! C'è
> stato un guasto e la metro si è bloccata!
> ■ Sì, **raccontala a un altro**! L'ho presa anch'io
> la metro e non c'era nessun guasto, sei il solito
> ritardatario!

Non ci posso credere! L'enunciato sottolinea l'incredulità di fronte a un evento totalmente inatteso e imprevisto.

> ■ Oddio! Mi hanno rubato il portafoglio!
> ● **Non ci posso credere**! Ma siamo in un
> quartiere tranquillo e sicuro!

Non mi dire! Espressione che esprime sorpresa e incredulità; spesso è usata ironicamente quando qualcuno dice una banalità.

> ■ Alla festa di ieri Giacomo ha avuto un sacco
> di successo con le ragazze.
> ■ **Non mi dire**! Ma se è timidissimo!

Mi prendi in giro? *Prendere in giro* significa *imbrogliare, canzonare*; utilizziamo, quindi, questa espressione per manifestare che stiamo dubitando molto di qualcosa.

> ■ Senti, secondo me tu piaci a Matteo...
> ● A Matteo? **Mi prendi in giro**? A lui
> piacciono le tipe che sembrano delle modelle!

AVERE FEGATO

CORAGGIO E PAURA

coraggio

Forza e coraggio! Quando qualcuno si trova in difficoltà, possiamo incoraggiarlo con questa espressione. La sua funzione, infatti, è proprio quella di dare forza e coraggio a chi deve superare degli ostacoli. Spesso si usa una versione più lunga: **forza e coraggio che dopo aprile viene maggio**. In questo caso, oltre a esortare, si vuole rassicurare: *tieni duro che i risultati arrivano*.

○ ■ È da quattro mesi che cerco lavoro e ancora non ho trovato niente...
● Devi avere pazienza, è un momento complicato per tutti. Ma tu hai un buon curriculum e sei molto preparato, **forza e coraggio!**

Armarsi di coraggio È l'espressione più indicata quando, per affrontare una situazione complicata, prendere una decisione difficile o superare una

dura prova, abbiamo bisogno di tutto il coraggio di cui disponiamo.

○ ▪ Allora, hai già detto a Danilo che vuoi
lasciarlo?
● No, non ancora. È terribilmente difficile,
dopo tutti questi anni insieme... **Mi devo
armare di coraggio** e parlargli il prima
possibile.

Avere fegato   Significa *avere coraggio*. In differenti cultu-
re, il *fegato* è il simbolo di coraggio e di forza
fisica. Per gli antichi Greci, ad esempio, era
la sede della forza, della caparbietà e delle
passioni. Se una persona ha molto coraggio,
si dice che ha fegato da vendere, proprio
perché ne ha in abbondanza. **Avere un bel
fegato** si usa spesso con una connotazione
negativa: si dice di chi compie cattive azioni
senza provare la minima vergogna. Esiste
anche la variante impersonale **ci vuole fegato**: *bisogna avere coraggio*.

○ Valeria **ha** proprio **fegato**: hai visto come ha
risposto al capo che la stava accusando
ingiustamente?

Coraggio da leone   Il leone, re della foresta, è tradizionalmente
simbolo di forza e coraggio. Avere lo stesso
coraggio di un leone significa, dunque, *essere molto coraggiosi*.

○ Al processo i giudici hanno dimostrato un
coraggio da leoni nel condannare i boss
mafiosi più pericolosi.

Non aver paura di nessuno

Chi non ha paura di nessuno, possiede grande coraggio e audacia. **Non aver paura neanche del diavolo** equivale a *non avere paura di niente e nessuno*, neanche del diavolo in persona, che rappresenta l'entità più spaventosa per la cultura cristiana.

○ Credi veramente di farmi paura con le tue minacce? Ti sbagli di grosso: io **non ho paura di nessuno**.

Fare il galletto / lo spaccone / il gradasso

Fanno riferimento a un comportamento arrogante e presuntuoso che, in un certo senso, implica possedere del coraggio. La prima fa riferimento all'animale gallo che, essendo l'unico maschio del pollaio, è tradizionalmente associato all'arroganza. Lo *spaccone* e il *gradasso*, oltre a essere impertinenti e arroganti, si vantano di fare o di saper fare cose straordinarie. *Gradasso* era il nome di un personaggio temerario e impulsivo dei poemi epici cavallereschi *L'Orlando Innamorato* e *L'Orlando Furioso*.

○ ▪ Che ne pensi del nuovo coordinatore?
  • Mah, non mi convince molto... Per ora **fa** solo **il galletto**: dice che ha fatto e che sa un sacco di cose, vuole avere sempre ragione...

paura

Essere un coniglio

Animale timido e pauroso che, per questa ragione, si associa alla mancanza di coraggio, soprattutto di fronte ai prepotenti. Essere un coniglio significa, dunque, *essere un codardo*. Esiste un'espressione molto più colloquiale con analogo significato: **esse-re un cacasotto**, che usiamo per riferirci a una persona vigliacca e paurosa; *cacasotto* è un sostantivo invariabile che deriva dalla locuzione *cacarsi sotto* (dalla paura): si usa in senso spregiativo e appartiene al registro popolare.

○ Simone è proprio **un coniglio**: un prepotente ci ha fregato il parcheggio e lui non ha detto niente!

Avere fifa *Fifa* è un sinonimo colloquiale di *paura*. In origine era una voce onomatopeica del gergo militare, ma si è poi diffusa ampiamente e oggi è di uso familiare e scherzoso. **Avere una fifa blu** significa *provare una paura così forte che il volto diventa livido,* cioè di colore blu. Esiste anche **essere un fifone**, che significa *essere un gran pauroso.*

○ ▪ Viene anche Beatrice al corso di paracadutismo?
  ● Beatrice?! No, non verrebbe mai, **ha fifa**!

Avere paura della Un ombra è qualcosa di pericoloso? Assolu-
propria ombra tamente no! L'espressione equivale, dunque, ad *avere paura di tutto*, anche delle cose più inoffensive.

○ ▪ Lo sapevi che Ludovico si è iscritto a un corso di parapendio?
  ● Stai scherzando, vero? Ma se **ha paura della propria ombra**!

Da far paura L'espressione viene associata a qualcosa di realmente pericoloso, preoccupante o impressionante.

○ Dopo una settimana di piogge continue il
fiume è pieno **da far paura** e potrebbe
straripare da un momento all'altro.

Essere mezzo È la sensazione che proviamo dopo uno spa-
morto di paura vento così terribile da essere quasi morti:
equivale ad *essere visibilmente scossi*, quasi
sotto shock.

○ ▪ Com'è andato il viaggio?
● Lasciamo stare... Durante il volo abbiamo
incontrato una turbolenza fortissima,
l'aereo ha cominciato a ballare in modo
impressionante: per fortuna è finita bene, però
io **sono mezzo morto di paura**.

Prendersi un colpo Significa *prendersi uno spavento molto grande*. In questo caso il *colpo* non è una botta,
un urto, ma un trauma, uno shock. In effetti,
quando ci prendiamo molta paura, ci sentiamo male.

○ **Mi sono presa un colpo** stamattina! Nella
confusione del mercato non vedevo più la mia
nipotina... invece era dietro di me!

Essere un coniglio

OSSO DURO

FACILE O DIFFICILE

facile

Essere una passeggiata

Fare una passeggiata non è un'azione complicata, quindi l'espressione equivale a *essere facile*. Esiste anche la forma negativa **non essere una passeggiata,** di significato, ovviamente, opposto.

○ ■ Oddio, dobbiamo montare la scrivania!
● Non preoccuparti, **sarà una passeggiata**: nelle istruzioni è piegato tutto benissimo.

Essere facile come bere un bicchier d'acqua

È difficile bere un bicchiere d'acqua? Assolutamente no. Con questa espressione, dunque, ci riferiamo a qualcosa che è molto facile da fare.

○ ■ Avete trovato facilmente il ristorante?
● Sì, le indicazioni erano molto chiare: **è stato facile come bere un bicchier d'acqua.**

Essere una cavolata / cacchiata

Cavolata e *cacchiata* sono sinonimi colloquiali di *sciocchezza, stupidata, cosa da nulla.*

Sono ampiamente usate con il valore di *facilità*. Esiste anche la variante volgare **essere una cazzata**.

○ ▪ Sono preoccupato per l'esame...
  ● Ma va! Stai tranquillo, **è una cavolata**! Il prof è buono, fa passare tutti.

Essere un gioco da ragazzi

La metafora rende bene l'dea: una cosa molto facile, semplice come i giochi dei bambini.

○ Per gli hacker spiare le conversazioni di WhatsApp **è un gioco da ragazzi**: basta installare un'applicazione.

Il diavolo non è così brutto come lo si dipinge

In questo modo di dire la figura del diavolo è abbinata ai concetti di *difficoltà* e *pericolo*. Si usa per dire che le cose viste da vicino possono essere più semplici o meno negative di quanto si pensava.

○ ▪ Allora, Vera, come è andata l'operazione? Eri così preoccupata...
  ● Sì, la sola idea di entrare in ospedale mi terrorizzava! Ma alla fine **il diavolo non è così brutto come lo si dipinge**: è stata un'operazione semplice, mi hanno mandata a casa il giorno stesso.

difficile

Osso duro

L'espressione può riferirsi sia a un ostacolo difficile da superare che a una persona difficile da convincere. La difficoltà è abbinata alla durezza e resistenza dell'osso.

○ Il candidato dell'opposizione è **un osso duro**: dovremo impegnarci al massimo se vogliamo vincere le elezioni.

Strada in salita Camminare in una strada in salita è faticoso e richiede sforzo. L'espressione può rappresentare una situazione o un'esperienza difficile da affrontare. Esiste anche l'espressione contraria **strada in discesa**.

○ Per me l'università è stata una **strada in salita**: lavoravo e avevo due bambini piccoli da accudire.

Parlare al muro / vento, predicare al deserto Il concetto è lo stesso: l'inutilità di dire delle cose a qualcuno che non ha la minima intenzione di ascoltare. Di solito si riferiscono a consigli o ammonimenti che vengono ignorati.

○ Luciano, quante volte ti devo ripetere che devi mettere in ordine la tua camera? Parlare con te è come **parlare al muro**!

Tra il dire e il fare c'è di mezzo il mare C'è molta differenza tra dire una cosa e farla. Una differenza grande quanto il mare. Quando diciamo di fare qualcosa, generalmente, tutto sembra più semplice di quello che poi è la realtà (più difficile). Simile il significato di un altro detto: **più facile a dirsi che a farsi**.

○ Tu credi davvero di poter preparare l'esame di chimica in due settimane? Cara mia, **tra il dire e il fare c'è di mezzo il mare**!

ONESTI E DISONESTI

onesti

Avere le carte in regola

In questa espressione le carte sono *i documenti*, che devono essere in regola per avere validità legale. Da qui viene qui il significato figurato di *avere i requisiti necessari* per qualcosa e, in senso più ampio, si riferisce alla correttezza, all'onestà.

○ ■ Che ne pensi del nuovo leader dell'opposizione?
● Mi piace, è un tipo che parla chiaramente. Secondo me **ha le carte in regola** per essere una buona guida del partito.

Giocare a carte scoperte, mettere le carte in tavola

Qui le carte sono quelle da gioco: i due modi di dire significano *agire apertamente* (senza nascondere le proprie intenzioni), *comportarsi onestamente*. In vari giochi, infatti, i giocatori mettono le proprie carte sul tavolo per farle vedere agli avversari.

○ **Mettiamo subito le carte in tavola**: la nostra intenzione è di finanziare il progetto, però vogliamo delle garanzie e chiediamo che venga nominato amministratore delegato uno dei nostri.

Come Dio comanda È un'espressione molto comune nel linguaggio colloquiale e indica un comportamento che segue le norme, anzi, la norma per eccellenza: quella divina.

⊙ Facciamo le cose **come Dio comanda**: prima di lanciare un nuovo prodotto, bisogna fare un'indagine di mercato approfondita.

Dare a Cesare quel che è di Cesare Si tratta di una citazione dal *Vangelo secondo Luca* (XX, 25): a Gesù viene chiesto se sia giusto o no pagare le tasse a Roma e lui, facendo vedere l'immagine dell'imperatore (il Cesare) su una moneta, risponde "Date a Cesare quel che è di Cesare, e a Dio quel che è di Dio". Nel linguaggio comune il detto si applica a chi si comporta con equità e onestà, riconoscendo i meriti e le ragioni degli altri.

⊙ Sono sempre molto critico con l'amministrazione del Comune, ma **diamo a Cesare quel che è di Cesare**: quest'anno il Festival dell'Opera Lirica è stato un grande successo, con concerti di alta qualità che hanno attirato tantissimi spettatori.

Essere tutto d'un pezzo Si dice di una persona che non scende a compromessi, né per paura né per interesse, e di cui ci si può fidare perché è incorruttibile.

⊙ Il vecchio direttore sì che era un uomo **tutto d'un pezzo**. Ha sempre fatto gli interessi dell'azienda senza pensare solo ad arricchirsi.

disonesti

Cambiare le carte in tavola

Anche questo è un detto che ha origine dal gioco delle carte ed equivale a *barare, imbrogliare*. Il significato si è poi generalizzato in quello di *falsare la realtà dei fatti*, magari per ottenere dei vantaggi.

○ Non si possono **cambiare le carte in tavola!** Sei mesi fa avete firmato un accordo accettando delle condizioni, e adesso non le potete modificare per avere più vantaggi.

Colpo basso, tiro mancino, colpo a tradimento

Tutte e tre le espressioni indicano un comportamento sleale, disonesto. Sia **colpo basso** che **tiro mancino** hanno origine nel mondo del pugilato: il *colpo basso* è proibito perché viene dato sotto la cintura, il *tiro mancino* è inatteso perché dato col pugno sinistro (mancino), di solito il meno usato.

○ ▪ Volpato è stato a casa un mese perché si era rotto una gamba, e Fardelli ne ha approfittato per rubargli il posto di coordinatore.
● Accidenti che **colpo basso!**

Fregare, infinocchiare

Entrambi i verbi significano *imbrogliare, ingannare*. Appartengono tutti e due al registro colloquiale, ma il primo è un po' più "politicamente corretto" e maggiormente utilizzato. Si coniugano normalmente come verbi regolari della prima coniugazione.

○ Non ci vado più da quel fruttivendolo, **frega** sempre: ti dà la frutta marcia, sbaglia sempre il resto, la bilancia non pesa bene...

Inciucio Il sostantivo deriva dal dialetto napoletano ed è stato introdotto di recente nel linguaggio politico. Il significato originario è di *intrigo* o di *intesa raggiunta di nascosto*, e oggi si usa molto per riferirsi a un accordo di basso livello tra forze politiche avversarie al solo scopo di spartirsi il potere.

○ I politici lo chiamano il "Governo delle larghe intese", ma in realtà è il solito **inciucio**: quando gli conviene si mettono d'accordo e lo fanno solo per i propri interessi.

Pugnalare alla schiena Colpire qualcuno quando non ci vede non è un'azione leale perché non si può difendere. L'espressione si riferisce, dunque, a un atto di tradimento. Esistono diverse varianti, come **pugnalare/colpire alle spalle** e **colpire alla schiena**.

○ Credevo che Davide fosse un collega leale, ma dopo le sue critiche feroci nei miei confronti in riunione, mi sento **pugnalato alle spalle**: fino al giorno prima aveva sempre detto che avevo fatto un lavoro eccellente e che mi avrebbe difeso di fronte a tutti.

Puzzare di bruciato Se sentiamo odore di bruciato, significa che c'è pericolo d'incendio e che bisogna subito fare qualcosa. È un modo di dire che utilizziamo quando una serie di segnali e di indizi ci fanno percepire che c'è qualcosa che non va, come la presenza di un pericolo o di un inganno. Del tutto simili sono le espressioni **esserci** o **sentire puzza di bruciato**.

○ ▪ Da quando porto la macchina da questo meccanico ho sempre problemi: prima i freni, poi l'olio, poi l'impianto elettrico...

● Questa faccenda puzza di bruciato: meglio andare da un altro.

Raccomandato È la persona che ottiene un incarico (un lavoro, un ruolo, ecc.) grazie all'interessamento, alla segnalazione, all'intercessione (la *raccomandazione*, appunto) di una persona influente, e che difficilmente conseguirebbe per meriti propri.

○ ▪ Hai visto? È uscito il bando di concorso per il posto di bibliotecario. Io mi presento: ho tutti i requisiti necessari.
● Non farti troppe illusioni: vinceranno i soliti **raccomandati**! Di sicuro hanno già assegnato i posti.

Sottobanco, in nero Entrambe le espressioni indicano operazioni poco chiare e non legali. La prima significa *risolvere una questione di nascosto*: l'immagine è quella di uno scambio di denaro o di documenti che avviene sotto un tavolo (banco), in modo che nessuno lo veda. La seconda si riferisce a operazioni economiche non registrate in contabilità per non pagare le tasse, quindi illegali.

○ ▪ Ma Raffaele come ha fatto ad avere il posto di bibliotecario? Non ha la preparazione adatta!
● Si è fatto passare il test **sottobanco**, suo padre ha ottimi contatti.

○ Ma sai cosa fanno molti dentisti? Se vuoi la fattura ti fanno pagare tantissimo, se però li paghi **in nero**, abbassano il prezzo.

Tangente, bustarella o mazzetta

Tre sostantivi che definiscono una *somma di denaro versata illegalmente per ottenere un favore* (ad esempio l'assegnazione di un appalto o la concessione di una licenza), per corrompere. *Tangente*, in questa accezione, è un termine abbastanza recente che risale agli anni '80, mentre *mazzetta* e *bustarella* sono anteriori. La prima è il fascio di banconote; la seconda è il diminutivo di *busta*, all'interno della quale viene inserito il denaro.

○ Che vergogna! Il presidente della provincia assicurava la massima trasparenza nelle Gare d'appalto e invece è stato arrestato con l'accusa di aver incassato una **tangente** di 200.000 euro!

Venduto

È un aggettivo usato in senso molto spregiativo per indicare chi si è lasciato corrompere per soldi o per interesse. È la classica offesa lanciata dai tifosi di calcio contro l'arbitro quando fischia un fallo ai danni della loro squadra.

○ Ma che fa l'arbitro? Fischia un rigore?! È un **venduto**!

Essere come il gatto e la volpe

Il Gatto e la Volpe sono due personaggi di *Le avventure di Pinocchio.* Stanno sempre insieme e il loro scopo è quello di imbrogliare gli altri per guadagnare qualcosa. L'espressione si usa per riferirsi a una coppia di persone che agisce in maniera poco legale.

○ Mariella e Tommaso mi hanno proposto di diventare socio della loro azienda... Attento: quei due **sono come il gatto e la volpe**, non ti fidare!

PER UN PELO

VICINI E LONTANI

vicini

A portata di mano, sottomano
Si dice di qualcosa che possiamo raggiungere facilmente, che è a nostra disposizione in qualsiasi momento.

- ○ Sul comodino tengo sempre una torcia: così se va via la luce di notte, ce l'ho **a portata di mano**.

A due passi, a pochi passi, a un passo
Si tratta di espressioni che indicano una distanza molto ridotta, prendendo come unità di misura la lunghezza di *un passo*. Molto simile e altrettanto comune è l'espressione **dietro l'angolo**.

- ○ È un ottimo bed & breakfast **a due passi** dalla stazione centrale. Te lo consiglio, è proprio comodo.

- ○ E dai non essere pigro! Accompagnami in libreria, è proprio **dietro l'angolo**.

A un tiro di schioppo Anche in questo caso di tratta di una distanza ravvicinata. Letteralmente l'espressione
significa *a una distanza uguale alla gittata
di uno schioppo*, cioè di un fucile, e quindi,
per estensione, *in un luogo facilmente rag-
giungibile*.

○ Il cinema è **a un tiro di schioppo** da casa mia:
possiamo andarci tranquillamente a piedi.

A uno sputo È un'espressione molto colloquiale e non certo elegante, ma sicuramente chiara: significa
a brevissima distanza, a una distanza pari a
quella cui può arrivare uno sputo, appunto.

○ ▪ Le pizze sono pronte, prendo il motorino?
● No, non serve: la pizzeria è **a uno sputo** da
qui. Andiamo a piedi.

Per un pelo Si dice quando qualcosa avviene o non avviene all'ultimo momento. Il *pelo* rappresenta una quantità piccolissima. Espressioni
analoghe sono **per un soffio** e **di un soffio**.
Comuni anche le espressioni **mancarci un
pelo** e **mancarci un soffio**.

○ Dovevamo uscire prima di casa: non abbiamo
perso il treno **per un pelo**.

Per il rotto della cuffia È una maniera per dire *all'ultimo minuto*. Si
usa quasi sempre accompagnata dai verbi *ca-
varsela* e *farcela* con il significato di *uscire o
salvarsi da una situazione difficile all'ultimo
istante*. Probabilmente l'origine risale alla
giostra medievale: il cavaliere doveva colpire
un bersaglio posto su una sagoma girevole,
evitando di essere buttato giù da cavallo. Se
il braccio della sagoma colpiva il copricapo

del cavaliere (la *cuffia*, appunto) senza, però, farlo cadere a terra, si diceva che il cavaliere era *uscito per il rotto della cuffia*: ce l'aveva fatta nonostante la cuffia fosse stata colpita o rotta.

○ Il Milan si è salvato **per il rotto della cuffia**: con il goal del 90° minuto ha pareggiato 1-1.

lontani

Fuorimano L'espressione può essere utilizzata sia come avverbio sia come aggettivo invariabile: nel primo caso si dice di un luogo *scomodo da raggiungere*, nel secondo caso sta per *lontano*.

○ ▪ Com'è il ristorante vietnamita in cui sei stata venerdì?
● Buono, però è **fuorimano**: per arrivare ci vuole la macchina.

○ ▪ Domani mi vedo con Marcella, pranziamo insieme in centro. Vieni anche tu?
● Grazie, ma lavoro un po' **fuorimano** e ho solo 40 minuti per la pausa pranzo.

Fuori dal mondo Più che una distanza concretamente misurabile, questa espressione rimanda a una lontananza psicologica. Si dice di chi non ha il senso della realtà, come se vivesse su un altro pianeta.

○ Oddio! Ieri era il compleanno di Emiliano e la scorsa settimana quello di Michela! Me ne sono completamente dimenticato... Ultimamente sono davvero **fuori dal mondo**!

Sparire dalla circolazione Si riferisce, con una vena polemica, a una persona che si è resa irreperibile e che, quindi, non abbiamo visto né sentito per un certo peridodo.

○ ■ Ehi Sandra! Ma come stai, tutto bene? È da un sacco di tempo che non so niente di te, **sei sparita dalla circolazione**.
● Sì, scusami, ma ho avuto tantissimo lavoro e pochissimo tempo libero.

In culo al mondo / alla luna Modi di dire molto colloquiali per indicare un posto sperduto, lontano.

○ ■ Ci hai messo tantissimo ad arrivare! È quasi un'ora che ti aspettiamo!
● Ragazzi, ma questa pizzeria è **in culo al mondo**! È difficile trovarla!

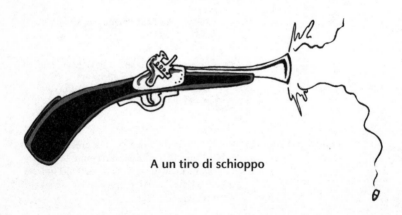

A un tiro di schioppo

NUOVO DI ZECCA

VECCHIO E NUOVO

vecchio

Essere / arrivare al capolinea
Letteralmente il capolinea è l'ultima fermata di una linea di autobus, tram o metro. In senso figurato, l'espressione significa *essere arrivati alla fine* di un periodo, di un percorso personale, di una relazione.

○ La relazione con il mio compagno **è arrivata al capolinea**: non abbiamo più niente da dirci e da condividere.

Essere da buttare (via)
Espressione che si riferisce, innanzitutto, a cose inutili o prive di valore perché ormai troppo vecchie. Si usa spesso, con una connotazione negativa o ironica, per riferirsi a persone che non sono più giovani.

○ ▪ Che depressione... da quando ho compiuto 50 anni mi sento proprio vecchio!
● Eh sì, guarda, **sei** proprio **da buttare**!

Di seconda mano   È l'espressione standard per riferirsi a qualcosa di già usato.

○   ▪ Ho bisogno di un motorino, però in questo
     momento non posso spendere tanti soldi.
     ● E allora compratene uno **di seconda mano**,
     ci sono delle buone occasioni.

Essere un Matusalemme   Matusalemme è uno dei patriarchi vissuti prima del Diluvio Universale: la *Genesi* dice che visse fino all'età di 969 anni. L'espressione si usa per persone molto anziane o comunque incapaci di adattarsi ai tempi nuovi. È utilizzato anche con la forma breve **Matusa**.

○   Le tue proposte sono molto interessanti,
     innovative. Però non se piaceranno al
     direttore: quello **è un Matusalemme**, queste
     cose non le capisce.

Essere una   Le vecchie glorie sono prestigiosi campioni o
vecchia gloria   artisti ormai a riposo.

○   Domenica andiamo allo stadio a vedere la
     partita tra **vecchie glorie** di Juve e Real
     Madrid: giocheranno Zidane, Seedorf, Nevded
     e molti altri campioni del passato. Ti va di
     venire con noi?

Ha fatto il suo tempo   È detto di oggetti che non sono più di moda o di teorie e ideologie che ormai hanno perso la loro validità.

○   La Commedia all'italiana **ha fatto il suo
     tempo**: ora servono nuove idee e nuove
     proposte per rinnovare il cinema italiano.

Sul viale del tramonto   L'espressione riprende il titolo del famosissimo film di Billy Wilder *Sunset Boulevard*, in cui si racconta la storia di Norma Desmond, una ricca e anziana attrice, star del cinema muto e prigioniera del suo passato. Nel linguaggio comune si applica a un'attività in via d'esaurimento, a una moda sorpassata, a una civiltà in decadenza o a una carriera ormai in fase calante.

○ Secondo me questa casa editrice è già **sul viale del tramonto**: da anni propongono sempre lo stesso tipo di pubblicazioni, non c'è mai niente di nuovo.

nuovo

Essere al passo con i tempi   Si dice di chi è aggiornato, di chi si tiene al corrente di mode e innovazioni, e va, quindi, allo stesso ritmo dello scorrere del tempo.

○ I miei nonni sono anziani, ma sono **al passo con i tempi**: utilizzano il web e i social network come due ragazzini.

Nuovo di zecca, nuovo fiammante   Due espressioni che alludono a qualcosa di nuovissimo, mai usato prima. In entrambi i casi il riferimento è alla produzione delle monete: la *zecca* è lo stabilimento statale dove si fabbricano le monete; *fiammante* rimanda alle monete d'oro appena fatte, che sono molto brillanti.

○ ▪ Adesso che hai la macchina **nuova di zecca**, perché non inviti Alice a fare un giro?

• Dici? Non so se è il tipo di ragazza che si impressiona per queste cose...

In buono stato Si riferisce a un prodotto che non è in condizioni perfette, ma si può comunque ancora vendere o usare. Esistono anche le varianti **in ottimo / perfetto stato**.

○ Se cerchi una bici usata, il mio vicino vende la sua. Ha un paio d'anni, è **in buono stato**.

Come nuovo Si dice di qualcosa che non è nuovo ma che lo sembra, o perché è stato usato molto poco, o perché è stato conservato molto bene.

○ Il libro che cerca è attualmente fuori catalogo, però conosco una persona che potrebbe vendergliene un esemplare: è **come nuovo**. Le interessa?

**Essere un
Matusalemme**

AQUA PASSATA

VENDETTA O PERDONO

vendetta

Avere un conto in sospeso   Letteralmente significa *dovere qualcosa a qualcuno*; in senso figurato, si usa quando riteniamo di aver subito un torto e pretendiamo un risarcimento materiale o morale. Un'espressione simile è **regolare i conti** con qualcuno.

○ Toni, io e te **abbiamo un conto in sospeso**. O credi che mi sono dimenticato di quanto sei stato scorretto?

Farla pagare   In origine si riferiva a un credito da riscuotere che, appunto, doveva essere pagato. Con il tempo è diventata semplicemente sinonimo del verbo *vendicarsi*.

○ Lasciandomi fuori dal Consiglio di Amministrazione mi hanno rovinato la carriera, ma **gliela farò pagare** cara: domani tutti i giornali sapranno che l'Amministratore delegato ha corrotto il Presidente della Regione per avere quell'appalto.

Gridar vendetta   Il detto (che nella versione originale è *gridar vendetta al cospetto di Dio*) si riferisce a qualcosa di così infame da meritare un castigo divino. Fa riferimento all'uccisone di Abele da parte del fratello Caino e alla conseguente punizione divina. L'espressione si usa spesso anche ironicamente, per criticare qualcosa di brutto o malfatto.

○ Scandalo nella Sanità: traffico di organi per trapianti. Le vittime **gridano vendetta**.

○ Nel compito di matematica hai fatto degli errori che **gridano vendetta**!

Legarsela al dito   Questo modo di dire deriva dal costume antichissimo di portare addosso, specie sulle mani, un segno di vario genere per ricordarsi di qualcosa. Se ne trova testimonianza già nella Bibbia e negli usi di molti popoli orientali. Oggi equivale semplicemente a *non dimenticare* un'offesa, un'ingiustizia o un torto, in attesa che giunga il momento di vendicarsi.

○ Mara ha fatto dei commenti poco carini sugli amici di Luca, lui **se l'è legata al dito** e non l'ha più chiamata.

Non finisce qui!   È una minaccia di vendetta che utilizziamo quando riteniamo che la questione non si è risolta. Si usa spesso durante una discussione o un litigio che sta avendo un esito negativo.

○ Che cosa??! 200 € di multa perché mi è scaduto il ticket del parcheggio??! Voi siete matti! Ma la cosa **non finisce qui**, ve lo assicuro!

Non passarla liscia   È una frase fatta molto comune usata per dire che il colpevole non riuscirà a sottrarsi a una giusta punizione.

○ Avete combinato un bel guaio rompendo il finestrino della macchina, ma **non la passerete liscia** questa volta: mi pagherete fino all'ultimo centesimo!

Prendersi la rivincita   Nell'ambito del gioco e in quello sportivo *si prende la rivincita* chi vince dopo una sconfitta. L'espressione è poi passata a indicare il raggiungimento di un successo dopo un primo fallimento.

○ Dopo essere stato snobbato da Hollywood, che quest'anno non l'ha inserito tra i registi nominati all'Oscar, Martin Scorsese **si è preso una** grande **rivincita** trionfando al Festival del Cinema di Venezia.

Rendere pan per focaccia   Corrisponde al biblico *occhio per occhio, dente per dente*: focaccia e pane sono la stessa cosa e il senso della frase è quello di rispondere a un'offesa con un'altra offesa, anche se in principio il detto non si riferiva alla vendetta, ma esortava semplicemente a ricambiare quanto si era ricevuto.

○ Lui le ha messo le corna con la segretaria, ma lei gli **ha reso pan per focaccia** andando a letto con l'istruttore di spinning!

Togliersi i sassolini dalle scarpe   Quando si cammina sulla ghiaia, i sassolini entrano nelle scarpe e danno molto fastidio: toglierli è un bel sollievo, gradevole come la soddisfazione che si prova quando esprimiamo apertamente la nostra opinione su qualcuno o qualcosa che ci aveva disturbato, irritato o offeso.

○ Durante la conferenza stampa **mi sono tolto** diversi **sassolini dalle scarpe**: ho ricordato ai giornalisti, che ora esaltano la mia vittoria, che fino a qualche mese fa mi davano per finito.

La vendetta è un piatto che va servito freddo

Famoso proverbio che esorta la vittima di un torto a non farsi prendere dall'ira, ma ad aspettare il momento giusto per vendicarsi.

○ ▪ Mi ha offesa davanti a tutti dicendo che sono un'incapace. Sono stata zitta, ma quando mi chiederà di aiutarlo nella gestione del nuovo progetto, gli dirò che lascio il lavoro e passo alla concorrenza.
● Brava! **La vendetta è un piatto che va servito freddo**!

perdono

Acqua passata

È un invito ad accettare con filosofia gli episodi sgradevoli e i torti subiti nel passato, e che oggi non hanno più nessuna importanza perché il tempo cancella tutto.

○ ▪ Hai dato lavoro a Paola dopo che si è comportata così male?
● È passato tanto tempo, eravamo giovani. Ormai è **acqua passata**: dobbiamo riconciliarci e guardare al futuro.

Chiudere un occhio, fare finta di niente, lasciar correre, passarci sopra

Sono modi di dire affini per esprimere tolleranza di fronte a una mancanza. Nei primi due casi, si finge di non vedere, negli ultimi due si decide di lasciar passare.

◯ Oggi ho deciso di **chiudere un occhio**, ma la prossima volta che venite a lezione senza aver fatto i compiti, prenderete un brutto voto.

Metterci una pietra sopra

Esprime in maniera efficace l'intenzione di fare pace e di dimenticare un episodio doloroso o offensivo: mettendo una pietra sopra, non si vede il problema.

◯ Ho deciso di **metterci una pietra sopra**, ma la prossima volta che mi manchi di rispetto vedrai di cosa sono capace.

Malinteso, qui pro quo

Due formule molto utili per chiarire che si tratta solo di un equivoco. La seconda espressione ha un'origine molto singolare: nel medioevo il *quid pro quo* ("questo per quello") era il titolo di una lista di farmaci che si potevano dare al posto di altri. Da qui si è poi sviluppato il significato moderno di *fraintendimento*.

◯ Si è trattato solo di uno spiacevole **malinteso**: non avevo nessuna intenzione di offenderti.

◯ È stato solo un banale **qui pro quo**: nessuno voleva escluderti dalla festa, ma pensavamo che tu fossi fuori città e così non ti abbiamo chiamato.

La miglior vendetta è il perdono

È una massima di origine cristiana che esalta il principio del perdono e dell'indulgenza nei confronti dei colpevoli.

◯ ▪ Alessia ha detto delle cose orribili sul tuo conto.
• Lo so, ma ho deciso che **la miglior vendetta è il perdono**.

CHIAVI IN MANO

ECONOMICO E CARO

economico

Un affare Significa *acquisto molto vantaggioso, conveniente*; spesso *affare* è accompagnato da un aggettivo: un *buon* affare, un *grande* affare, un *ottimo* affare. Molto comune è anche la versione **un affare d'oro**.

○ ▪ Bello questo tablet! Ti è costato caro, eh?
 • Macché! L'ho pagato solo 50 €, è stato proprio **un affare**!

A buon mercato Se avete comprato qualcosa a buon mercato, significa che lo avete pagato poco, che il prezzo era basso. L'espressione di solito è preceduta da verbi come *comprare, acquistare, vendere, dare via*.

○ Io la verdura la compro sempre dal fruttivendolo vicino all'ufficio: si trova tutto **a buon mercato**.

Prezzo imbattibile L'espressione viene utilizzata molto in ambito pubblicitario per attirare clienti. Un prezzo è *imbattibile* (che non si può battere, vincere) quando è il più conveniente. Molte volte, però, secondo il consumatore il prezzo è *abbordabile* (ha un costo che si può sostenere).

○ ▪ E poi abbiamo questo modello di frigorifero No Frost a un **prezzo** davvero **imbattibile**: 460 €!
● Beh, non è male... il **prezzo** è **abbordabile**.

(Prezzo) chiavi in mano Nella vendita di autoveicoli l'espressione indica che il prezzo include tutto, anche le spese di trasporto, d'immatricolazione e le tasse. L'espressione **chiavi in mano** si usa anche per altri tipi di acquisti, non solo per quelli automobilistici. L'immagine è quella dell'immediatezza: paghi quel prezzo e l'oggetto è subito tuo, senza spese aggiunte.

○ Mi creda: un'auto come questa a 12.000 € **chiavi in mano**, zero anticipo, zero interessi è un'offerta che non si deve far scappare!

Prezzo di favore È il prezzo che si fa a un cliente di lunga data o di particolare riguardo.

○ Nel mese di febbraio a tutti i possessori della Carta Fedeltà verrà applicato un **prezzo di favore** per gli acquisti on-line.

Offerta speciale, super offerta Nel linguaggio della pubblicità e del commercio le espressioni sottolineano condizioni di vendita molto vantaggiose e convenienti per chi compra. Diffusa anche la formula **supersconto**.

○ Tesoro, lo so che il tonno era in **offerta speciale**, ma era proprio necessario comprarne 50 confezioni?

A prezzo di fabbrica Si dice di un prezzo pari a quello del prodotto quando esce dalla fabbrica, che è molto più basso del prezzo di vendita al pubblico.

○ ▪ Bellissimo questo tavolo. L'avete pagato tanto?
● Al contrario: l'abbiamo comprato on-line a **prezzo di fabbrica**.

Prezzi stracciati Si tratta di prezzi bassissimi. L'immagine è quella del venditore che straccia (rompe, fa a pezzi) il cartellino del prezzo per regalare la merce al compratore.

○ La crisi ha i suoi lati positivi: le agenzie offrono vacanze a **prezzi stracciati** per non perdere clienti.

Occasione Indica un articolo venduto a condizioni particolarmente favorevoli.

○ Questa sì che è una vera **occasione**! Hotel 4 stelle, pensione completa, vista mare a soli 400 € per una settimana!

Ottimo rapporto qualità-prezzo Si dice di un prodotto o un servizio che offre un prezzo proporzionato e onesto, quindi il rapporto qualità-prezzo è molto buono.

○ Ti consiglio di andare a pranzo alla nuova enoteca: hanno degli ottimi prodotti e i prezzi sono buoni. Insomma, **ottimo rapporto qualità-prezzo**.

Formato famiglia È un formato molto grande perché deve soddisfare una famiglia, e ha un prezzo più conveniente del formato normale.

O Senti, dei biscotti prendi la confezione **formato famiglia**: dura di più e costa meno.

Sotto costo, in svendita Entrambe le espressioni indicano un prezzo inferiore a quello di acquisto. Molte volte si applicano questi prezzi così convenienti per liquidare merce (chiusura o rinnovo del locale).

O ▪ Ragazzi, il negozio sportivo in piazza sta per chiudere e ha messo tutti i prodotti **sotto costo**.
    • E allora andiamo subito!

caro

Salato, profumato Due aggettivi che, nell'uso colloquiale, esprimono il costo eccessivo di un articolo o un servizio in rapporto al suo valore reale. Esiste anche l'espressione **pagare profumatamente**, cioè *pagare un prezzo molto elevato*. Questo significato figurato di *profumato* e *salato* si deve al fatto che, anticamente, il sale e i profumi erano molto cari.

O Sì, guarda, tutto buonissimo, i piatti erano molto ben presentati, il servizio ottimo e la vista sulla città era unica. Però il conto che ci hanno presentato era proprio **salato**.

Alle stelle Le stelle si trovano molto in alto, e un prezzo che raggiunge la loro altezza è molto elevato. Alla stessa immagine si rifanno le espressioni **astronomico** ed **esorbitante**.

○ Fare benzina è diventato un lusso! Quest'anno il prezzo del petrolio è arrivato **alle stelle**.

Truffa Nell'uso comune la truffa è sinonimo di imbroglio. Nel caso di un prezzo vuol dire che la somma che dobbiamo pagare è troppo alta, eccessiva e chi lo propone manca di onestà.

○ 70 € per un taglio di capelli? Ma è una **truffa**!

Una fortuna, una cifra, un capitale, un patrimonio, un occhio della testa Sono tutte espressioni che indicano una somma altissima. Sono introdotte da verbi come *spendere* e *costare*.

○ Attento a non farlo cadere! Quel vaso mi è costato **una fortuna**!

○ Oggigiorno mandare i figli all'università costa **un patrimonio**.

Mazzata Propriamente è un colpo dato con una mazza, un bastone; si usa molto spesso in senso figurato per dire che le nostre finanze hanno subito un duro colpo.

○ ▪ Che **mazzata** la bolletta della luce: 300 €!
  ● E dove hai chiamato? Su Marte?!

A peso d'oro Significa che *il prezzo è carissimo*, pari al suo peso in oro, che è il metallo più prezioso e costa tanto.

⊙ Basta, non lo chiamare più questo idraulico: lavora male e per di più si fa pagare **a peso d'oro**!

Spennare Un uccello a cui vengono tolte le penne (che viene spennato) rimane senza niente, proprio come chi deve pagare un prezzo davvero elevato.

⊙ Sì, sì, il locale è bello però io non ci vado più, l'ultima volta mi **hanno spennato**: 30 € per due cocktail!

A BRUTTO MUSO

SINCERITÀ

Non avere peli sulla lingua
Parlare avendo dei peli sulla lingua non deve essere molto comodo. La metafora dei peli serve per esprimere l'idea dell'agilità della lingua nel parlare: chi non ha peli sulla lingua dice ciò che pensa senza timidezza o paura.

○ Quando Alessandro sa di aver ragione, **non ha peli sulla lingua**. L'altro giorno ha detto al suo principale che non capiva assolutamente nulla.

Senza mezzi termini
Usare parole chiare e inequivocabili, essere molto diretti senza dire le cose a metà.

○ Il nuovo amministratore delegato ha detto **senza mezzi termini** che l'azienda deve ridurre assolutamente i costi se vuole sopravvivere alla crisi.

A brutto muso
A volte la sincerità può essere dura; succede quando si dicono le cose in modo schietto, destramente diretto.

○ ▪ Ehi com'è andata la riunione con il tuo responsabile?
▪ Gli ho detto **a brutto muso** che se non

la smette di fare mobbing, lo denuncio ai
sindacati.

**Dire le cose
come stanno**

Spesso la realtà può essere sgradevole, ma bisogna essere sinceri, parlare con franchezza e dire esattamente come stanno le cose.

○ Ti **dirò le cose come stanno**: io Carla non la
sopporto più. Perciò decidi: o se ne va lei o me
ne vado io.

**A dirla tutta, a dire
il vero, in tutta
franchezza / sincerità**

Tutte espressioni usate per sottolineare l'assoluta e totale sincerità di chi parla.

○ **A dirla tutta**, non credo che il tuo
comportamento sia stato corretto. Avevamo
preso degli accordi e tu non li hai rispettai.
Sono molto deluso.

**Pane al pane e
vino al vino**

Non sempre si può scegliere il "politicamente corretto", bisogna parlare chiaramente senza avere paura della realtà dei fatti. L'espressione può essere introdotta da verbi come *dire* e *rispondere*.

○ ▪ Che ne pensi di questo romanzo?
● Ti rispondo **pane al pane e vino al vino**: fa
schifo e lo pubblichiamo solo perché l'autore è
il nipote del direttore.

Chiaro e tondo

Parla così chi dice le cose apertamente e senza preamboli, soprattutto se le cose da dire sono spiacevoli.

○ ▪ Secondo l'agenzia il prezzo di vendita del suo
appartamento è di 300.000 €.

• Ma state scherzando? Per un appartamento ristrutturato e in pieno centro?! Guardi, Le dico **chiaro e tondo** che o cambiate la vostra valutazione o io cambio subito agenzia.

Senza giri di parole Nei manuali di retorica *il giro di parole* è un procedimento espressivo che consiste nell'usare una sequenza di parole anziché un unico termine. Perciò, chi non usa giri di parole, espone subito la realtà dei fatti, senza inutili premesse o lunghi discorsi.

◯ Diciamolo subito e **senza giri di parole**: il nostro spettacolo è stato un fiasco perché il regista è un dilettante.

La pura e semplice verità, la verità nuda e cruda In entrambe le espressioni le coppie di aggettivi vengono utilizzate come rafforzativi per indicare che verrà detto solo ciò che è vero.

◯ **La pura e semplice verità** è che Angela non ha i requisiti per svolgere questo lavoro, per questo fa sempre tutto male.

Pane al pane e vino al vino

LA DOLCE METÀ

RELAZIONI

andare d'accordo

Andare d'amore e d'accordo Un'espressione molto comune usata per descrivere una relazione che funziona benissimo tra compagni, parenti, amici o colleghi.

- ○ ■ Come ha preso Bianca l'arrivo della sorellina?
  - All'inizio era un po' gelosa, ma ora vanno **d'amore e d'accordo**.

Capirsi al volo Si usa quando due o più persone si capiscono fra loro immediatamente, in modo quasi telepatico.

- ○ È un piacere collaborare con Susanna: **ci capiamo al volo** e il lavoro procede benissimo.

Essere culo e camicia Espressione colloquiale e molto usata, si dice di due persone così amiche da essere praticamente inseparabili. L'origine risale ai tempi in cui la biancheria intima era un privilegio per pochi e, di conseguenza, la camicia si trovava a contatto diretto con il sedere (*culo*). Anche **essere pappa e ciccia** indica un rapporto di grande confidenza e complicità tra due persone; si usa spesso con un significato un po' negativo, quando due persone sono complici per fare qualche azione poco onesta.

○ Veronica e Chiara **sono culo e camicia**: è praticamente impossibile vedere una delle due da sola.

○ Luigino, comportati bene! Da quando **sei pappa e ciccia** con tuo cugino, sei diventato tremendo: combinate sempre un sacco di guai!

Essere in sintonia con qualcuno

Quando due o più persone vanno molto d'accordo, si verifica un'intesa simile all'armonia.

○ Guarda, il mio nuovo lavoro non è molto interessante, però **sono in sintonia con i colleghi** ed è un piacere passare tutte quelle ore in ufficio.

innamorarsi

Essere pazzo (di qualcuno)

Nell'antichità la passione amorosa era frequentemente associata alla pazzia. Nel linguaggio comune restano varie espressioni che si rifanno a questa concezione. Del resto, l'amore fa fare molte pazzie... Analoga è l'espressione **essere innamorato perso**: la passione è così forte che non si ha altro in mente, e ci si perde.

○ ■ Com'è cambiato Andrea ultimamente...
  ● Eh già, da quando ha conosciuto Silvia fa cose che prima non avrebbe mai fatto... **È** completamente **pazzo di lei**!

Prendersi un cotta (per qualcuno), essere cotto (di qualcuno), La fase che precede l'innamoramento è quella della cosiddetta *cotta*: quando ci piace moltissimo qualcuno. La similitudine è quella dell'innamorato che s'intenerisce, diventando molle, come succede a molti cibi dopo una lunga cottura.

○ ▪ Senti un po'... Dimmi la verità: **ti sei presa una cotta** per il nuovo coinquilino...
 ● Oddio sì! Ma si nota così tanto?!

Perdere la testa (per qualcuno), essere ciecamente innamorato Altre due espressioni per descrivere un amore appassionato che fa perdere la ragione, nel primo caso, e che non fa più vedere la realtà delle cose, nel secondo.

○ ▪ **Sono ciecamente innamorata** di Filippo...
 ● Sì, Giorgia, è evidente... Devi proprio **aver perso la testa** perché lui è davvero un tipo strano!

corteggiare

Andare dietro È il gioco del cacciatore e della preda: quando qualcuno ci piace lo inseguiamo nel tentativo di raggiungerlo.

○ ▪ Che ne pensi di Sabina? Secondo me è evidente che ti **viene dietro**.
 ● Dici? Mah, non so... Beh, non è male...

Rimorchiare In senso proprio *rimorchiare* significa *trascinare un veicolo collegandolo ad un altro con un cavo*; trasferito all'ambito degli approcci amorosi, il verbo significa *corteggiare una persona con esito positivo*.

○ ▪ Com'è andata ieri alla festa di Ornella?
● Benissimo! **Ho rimorchiato** un tipo veramente interessante! Domani ci vediamo per un aperitivo.

Fare il cascamorto, fare il filo

Due espressioni un po' datate (antiche) che si riferiscono al corteggiamento. Sono usate soprattutto dalle persone di una certa età, oppure in modo scherzoso. **Fare il cascamorto** ha un'accezione leggermente negativa perché sottolinea l'atteggiamento esagerato del corteggiatore: è così "innamorato" da svenire (*cascare morto*).

○ ▪ Ehi, ho visto che l'assistente del prof. **ti fa il filo**... Pensaci, è un buon partito.
● Ah ah ah, spiritosa! È un tipo disgustoso, **fa il cascamorto** con tutte!

Provarci (con qualcuno)

Il modo colloquiale più frequente per descrivere un tentativo di avvicinamento amoroso.

○ Che situazione imbarazzante... ieri sera Pietro **ci ha provato** con me!

Andare in bianco, non battere chiodo

Due espressioni colloquiali per dire che i risultati del corteggiamento sono negativi.

○ ▪ Dimmi la verità, sono diventato brutto?
● Perché mi fai questa domanda?
▪ Perché ultimamente **vado** sempre **in bianco**!

fare coppia

Due cuori e una capanna L'espressione perfetta per i romantici: quando c'è l'amore, i soldi non hanno importanza. La *capanna* è un tipo di abitazione estremamente povera e i due cuori sono gli innamorati: tutto quello di cui c'è bisogno per essere felici.

○ ■ Io e Francesco abbiamo preso un monolocale in centro: è un po' piccolino, ma siamo così felici di essere andati a vivere insieme!
● Ma che romantico: **due cuori e una capanna**!

Essere fatti l'uno per l'altro, essere una coppia perfetta Due espressioni che si riferiscono a una relazione equilibrata, che funziona perfettamente in cui i due innamorati sono molto affiatati. Insomma, il *non plus ultra*.

○ ■ Quando vedo Tiziano e Letizia penso che il vero amore esiste davvero: **sono fatti l'uno per l'altra**.
● Sì, **sono** proprio **una coppia perfetta**.

Vedersi / uscire con qualcuno, mettersi con qualcuno, stare insieme a qualcuno Ecco le varie fasi di una relazione: la prima espressione si riferisce alla fase di conoscenza, la seconda al momento in cui inizia la relazione vera e propria, e la terza al fatto di avere una relazione con qualcuno.

○ ■ **Esci** ancora **con** quel ragazzo che hai conosciuto al corso di fotografia?
● Beh, veramente **ci siamo messi insieme**...
■ Ma dai! Che bello! Ma è da poco, no?
● Sì, **stiamo insieme** da un paio di mesi.

La dolce metà Quando due persone si amano, sono una cosa sola, quindi ognuno ne costituisce la metà; l'aggettivo *dolce* dà all'espressione un tocco scherzoso.

O   ▪ Jacopo, venerdì partita di calcetto, ok?
     ● Eh no, ragazzi, mi dispiace: parto con **la** mia **dolce metà** per un fine settimana romantico.

Anima gemella È proprio lei, la persona giusta per noi, con cui formiamo la coppia ideale perché ci capiamo perfettamente.

O   ▪ Ma Fabio non si è mai sposato, vero?
     ● No, non ha ancora trovato **l'anima gemella**. Se vuoi te lo presento, magari sei tu!

problemi

Avere un'avventura / una scappatella, fare / mettere le corna Tre forme colloquiali per indicare un tradimento. La terza è la più popolare.

O   ▪ Ma è vero che Giulia e Davide si sono lasciati?
     ● Sì, lei **ha avuto un'avventura** con un suo collega, Davide l'ha saputo e non l'ha perdonata.
     ▪ E ha fatto bene! **Fare le corna** è una cosa grave!

Tra moglie e marito non mettere il dito È un celebre proverbio che esorta a non intromettersi nella vita di una coppia. Si dice anche di chi non è sposato.

O   ▪ Secondo me Enzo trascura Laura: voglio parlarci perché secondo me sbaglia.

● Attento! E ricordati: **tra moglie e marito non mettere il dito.**

Lasciare, mollare, piantare   Tre verbi che illustrano la fine di una relazione. *Lasciare* è la forma più standard, *mollare* appartiene a un registro più familiare; *piantare* significa, invece, chiudere una relazione all'improvviso.

○ ▪ Hai sentito? Mattia **ha lasciato** Flavia.
● Beh, veramente è Flavia che l'**ha mollato**... era stufa delle stupide gelosie di Mattia.

○ ▪ Ma che ha Eleonora? È insopportabile ultimamente.
● Poverina, bisogna capirla: il suo compagno l'**ha piantata** per mettersi con un'altra...

ricominciare

Voltare pagina   Quando finisce una relazione bisogna provare a ricostruirsi una nuova vita sentimentale. L'immagine di voltare (cambiare) pagina è proprio quella di lasciare dietro il passato.

○ Lo so, non è facile, ma devi dimenticare il tuo ex e **voltare pagina**. Sei intelligente, simpatica e affascinante e il mondo è pieno di uomini!

Chiodo scaccia chiodo   Per dimenticare una delusione amorosa, la soluzione migliore è iniziarne un'altra. Il detto poterebbe derivare da un gioco molto antico che consisteva nell'usare un chiodo per togliere un altro chiodo conficcato nel terreno.

○ ▪ Ma quello non è Alberto?
    ● Sì, Alberto con la sua nuova ragazza...
    ▪ Che velocità! Si è lasciato solo da un paio di
    settimane. Beh, **chiodo scaccia chiodo**!

Cuore solitario È una persona che non ha legami sentimen-
tali, ma che desidera averne uno.

○ ▪ Avrei voglia di incontrare un uomo
    interessante, ma non so come fare.
    ● Perché non cerchi su Internet? La rete è
    piena di siti per **cuori solitari**!

Morto un papa se La presenza del Vaticano in Italia ha influen-
ne fa un altro zato anche la lingua. La metafora del papa
esprime il concetto che nessuno è insostitu-
ibile, quindi, quando rimaniamo soli, non
dobbiamo preoccuparci perché prima o poi
inizieremo un'altra relazione.

○ Forza, riprenditi, non ti deprimere, le storie
    finiscono. E poi ricorda: **morto un papa se
    ne fa un altro**.

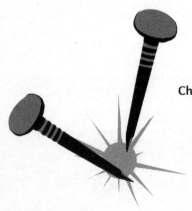

Chiodo scaccia chiodo

PATATA BOLLENTE

PROBLEMI

Avere l'acqua alla gola Significa *trovarsi in una situazione dispe-
rata che offre poche e difficili possibilità di
uscita,* come succede a chi sta per annegare
e ha, appunto, l'acqua alla gola. Si usa spesso
per riferirsi a situazioni economiche molto
complicate. Esiste anche la variante **essere /
trovarsi con l'acqua alla gola.**

○ ■ Come vanno gli affari?
  ● Male, guarda **abbiamo l'acqua alla gola.**
  Per sopravvivere abbiamo dovuto abbassare
  i prezzi e ridurre al minimo il personale. Ma
  purtroppo per ora non c'è un'altra possibilità.

Essere / trovarsi in Un'altra metafora con l'acqua per indicare
un mare di guai problemi. E in questo caso sono proprio tanti, visto che formano un mare.

○ ■ Se non la smetti di frequentare quel gruppo
  di delinquenti **ti troverai in un mare di guai.**
  ● Non esagerare!
  ■ Non esagero: li hanno già arrestati tre o
  quattro volte.

Essere / passare Espressione comunissima che significa *vi-*
un periodaccio *vere un momento difficile,* caratterizzato da
fatti e situazioni negative.

○ Certo che Simone **sta passando** proprio **un periodaccio**: prima il licenziamento, poi i problemi di salute di suo padre e adesso sembra che le cose con sua moglie vadano male...

Andare a rotoli Equivale ad *andare in rovina, fallire disastrosamente*. L'immagine è quella di precipitare in maniera rapida e inarrestabile, come rotolando lungo un pendio.

○ Il mio matrimonio **sta andando a rotoli**: lui pensa solo a se stesso, al suo lavoro e a uscire con gli amici. E dire che ci amavamo così tanto!

Le disgrazie non vengono mai sole Cioè sono sempre accompagnate o seguite da altre. Analoga è **piove (sempre) sul bagnato** che indica qualcosa che si aggiunge, si ripete sempre per le stesse persone: i ricchi stanno sempre meglio e i poveri sempre peggio.

○ È proprio vero che **le disgrazie non vengono mai da sole**: stamattina ho perso le chiavi della moto, in metro mi hanno rubato il portafoglio e il capo si è appena arrabbiato con me...

○ La crisi non ha fatto altro che accentuare le differenze sociali: i ricchi sempre più ricchi e i poveri sempre più poveri. Sì, insomma, **piove sempre sul bagnato**.

Cacciarsi in un ginepraio Il ginepraio è una specie di bosco fatto di *ginepri*, piante con molti rami e foglie che pungono e che rendono molto difficile il passaggio. L'espressione equivale, quindi, a *mettersi in una situazione problematica*, da cui è difficile uscire. **Mettersi / trovarsi nei guai**

o **nei pasticci** sono espressioni analoghe alla precedente, ma di uso più comune. *Guaio* e *pasticcio* sono sinonimi di *problema*. **Essere / mettersi nei casini** appartiene, invece, al registro più popolare: il *casino* era, infatti, il luogo in cui si esercitava la prostituzione, il termine oggi è comunemente usato come sinonimo di *problema*.

○ ■ Gabriele e Vittoria **si sono cacciati in un ginepraio** con l'idea del ristorante...
   ● Beh, non mi sorprende. Gestire un ristorante non è facile e loro non hanno esperienza.
   ■ Eh già. Hanno un sacco di spese e devono pagare tre dipendenti...

○ ■ Se ci fermano i carabinieri **siamo nei pasticci**: l'assicurazione dell'auto è scaduta.
   ● Oddio, ma perché **ti metti** sempre **nei casini**!!

Gatta da pelare, rogna, patata bollente

Tre metafore diverse per esprimere un identico concetto: *un problema delicato e di difficile soluzione*. La prima fa riferimento al gatto, che notoriamente è un animale abbastanza selvatico, quindi pelarlo (togliergli il pelo) non deve essere per niente facile; il modo di dire è spesso accompagnato dagli aggettivi *bella* o *brutta* e introdotto dai verbi *avere, prendere* o *pigliare.* La seconda immagine deriva dalla terminologia medica: la *rogna* è una malattia della pelle che causa un orribile prurito. La terza espressione si serve della patata bollente che, essendo molto calda, risulta difficile da maneggiare. Si usa spesso nella versione **passare la patata bollente**, cioè *scaricare un problema a qualcuno*, proprio come si farebbe con una patata bollente per non scottarsi le mani.

○ ■ Carlotta **si è presa una bella gatta da pelare** mettendosi insieme a quel tipo...
• Perché?
■ Beh, lui ha un figlio adolescente con un sacco di problemi e una ex moglie isterica che gli chiede sempre soldi.

Essere / mettersi in un vicolo cieco

Un vicolo cieco è una strada senza uscita, l'espressione equivale, quindi, a *trovarsi in una situazione senza soluzione*.

○ Con questa cattiva gestione l'amministratore **ha messo** l'azienda **in un vicolo cieco**. Ormai non c'è più niente da fare contro il fallimento.

Punto morto

In fisica il *punto morto* è ciascuna delle due posizioni estreme di una macchina, in cui non viene prodotto lavoro. Metaforicamente l'espressione significa *imbattersi in un ostacolo insuperabile* ed essere quindi costretti a rimanere fermi, senza possibilità di azione. È quasi sempre introdotta da verbi come *essere, raggiungere, trovarsi, arrivare (a)*.

○ Il progetto di riforma elettorale ha raggiunto un **punto morto**: se i partiti non trovano un accordo, si rischia l'ennesima crisi di governo.

Punto critico

L'espressione è presa in prestito dalla chimica; in senso figurato indica *un momento particolarmente difficile e pericoloso*. L'espressione è quasi sempre introdotta da verbi come *essere, raggiungere, trovarsi, arrivare (a)*.

○ Oramai il malcontento della popolazione è arrivato a **un punto critico**: se il governo non fa qualcosa, potrebbe scoppiare una forte ribellione.

Punto di rottura È una situazione di massima tensione in cui gli equilibri si rompono. Indica rapporti difficili e situazioni tese. L'espressione è quasi sempre introdotta da verbi come *essere, raggiungere, trovarsi, arrivare (a)*.

○ La missione diplomatica è arrivata a un **punto di rottura**: pare difficile che la situazione possa risolversi pacificamente.

Punto di non ritorno In volo o in navigazione è il punto oltre il quale il carburante rimasto non è sufficiente per il rientro alla base di partenza; pertanto, in senso figurato, indica *il momento o la fase in cui un processo diventa irreversibile*, e che quindi non si può tornare indietro.

○ Se continuiamo così, il cambiamento climatico raggiungerà presto il **punto di non ritorno** e non si potrà più fare niente.

Avere l'acqua alla gola

DARSI LE ARIE

ORGOGLIO E UMILTÀ

orgoglio

Essere il fiore all'occhiello L'occhiello in questione è il foro (buco) che si trova in alto a sinistra su una giacca (sul risvolto); qui, per conferire un tocco di eleganza all'abito, viene a volte inserito un fiore. In senso figurato s'intende *qualcosa di cui essere orgogliosi.*

- ▪ E questo è **il fiore all'occhiello** della mia collezione di quadri...
- ● Ma... è un De Chirico!!

Modestia a parte Si usa per parlare di un proprio merito, però con l'intenzione di non apparire superbi.

- ▪ Mmm... questo tiramisù è squisito! Chi l'ha fatto?
- ● **Modestia a parte**, l'ho fatto io!

Posto d'onore Il *posto d'onore* è quello che viene riservato a tavola alla persona più importante; in senso più ampio, indica il posto di rilievo assegnato a un oggetto di particolare valore all'interno di una stanza.

○ Nonna, siediti qui accanto alla finestra, così vedi bene il panorama. Tu ti meriti il **posto d'onore**.

○ In casa di Adriano il ritratto di Agnese occupa il **posto d'onore**, proprio al centro della sala.

Darsi le arie   Si dà delle arie chi assume un atteggiamento di superiorità e superbia, con l'intenzione di apparire più importante di quanto è in realtà. Qui l'*aria* è intesa nel senso di *apparenza*.

○ ■ Le compagne di corso di Caterina mi stanno proprio antipatiche, **si danno le arie** solo perché frequentano un'università privata.
● Lasciale perdere, sono solo delle snob.

Salvare la faccia   **Significa** *riuscire a salvare la propria reputazione, evitare una figuraccia.* Il suo contrario è **perdere la faccia**: *fare una brutta figura.*

○ ■ Oddio mi sono dimenticata di avvisare il mio cliente che non posso andare alla riunione!
● Chiamalo subito e inventati una scusa credibile, così almeno **salvi la faccia**.

umiltà

Calarsi le braghe   Letteralmente significa *abbassarsi i pantaloni*, è un'espressione di uso piuttosto colloquiale che rende bene l'idea di una situazione umiliante.

○ Mi dispiace ma non sono d'accordo. Capisco che bisogna cercare il dialogo con l'opposizione, ma c'è un limite a tutto: questo è **calarsi le braghe**.

Ingoiare il rospo

Difficile immaginare qualcosa di più disgustoso che ingoiare un rospo! Fuor di metafora s'intende l'obbligo di sopportare qualcosa di molto sgradevole o umiliante.

○ Le commesse hanno scioperato, ma alla fine **hanno dovuto ingoiare il rospo**: dovranno lavorare una domenica al mese, altrimenti saranno licenziate.

Andarsene con la coda fra le gambe

È tipico dei cani quando si trovano in uno stato di frustrazione, inferiorità. Si usa quando si subisce una forte umiliazione.

○ La squadra ospite dopo il 5-0 **se n'è andata con la coda fra le gambe**.

Passare sotto le forche caudine

Significa *subire una forte umiliazione, sottomettersi con grande vergogna*. Fa riferimento a un'antica usanza degli eserciti romani: si facevano passare sotto le forche i soldati dell'esercito vinto, senza armi e senza vestiti; con questo gesto dichiaravano la loro sottomissione al vincitore. Le forche erano costituite da due aste fissate nel terreno e unite da una terza asta orizzontale, che era posta ad un'altezza tale da obbligare i soldati ad inchinarsi.

○ Dover ammettere davanti a tutti che la squadra è finita in serie B per colpa sua, è stato come **passare sotto le forche caudine** per l'allenatore.

TRANTRAN

NORMALE E FUORI DAL NORMALE

normale

Niente dell'altro mondo Espressione utilizzata per commentare qualcosa che non ha niente di speciale o particolare.

- ○ ■ Allora vi è piaciuto Avatar?
  - Non molto: a parte gli effetti speciali, non ci è sembrato **niente dell'altro mondo**.

Essere uno come tanti / uno dei tanti Si dice di una persona che non possiede qualità eccezionali. Di significato simile è **qualunque**, un aggettivo indefinito che messo dopo un nome esprime mancanza di doti e di qualità particolari.

- ○ Il nuovo direttore **è uno come tanti**, niente di speciale. Però ci piace, è una brava persona.

- ○ ■ Com'è andata la cena di ieri?
  - Mah, normale... siamo stati in un posto **qualunque**.

Ordinaria amministrazione Nel linguaggio amministrativo s'intende la gestione normale di un ente, di un bene o di un'azienda; nella lingua comune l'espressione indica qualcosa che rientra nelle attività abituali oppure qualcosa di molto facile perché già sperimentata in più occasioni.

○ ▪ Hai sentito? A Roma, prima della partita ci sono stati violenti scontri tra tifosi.
● Eh, sì: purtroppo in Italia la violenza legata al calcio è **ordinaria amministrazione**.

○ ▪ È complicato quello che ti ha chiesto di fare il capo?
● No, non è niente che non abbia già fatto... **ordinaria amministrazione**.

All'ordine del giorno Anche questa è una formula burocratica: propriamente, infatti, l'ordine del giorno è l'elenco degli argomenti da discutere in una riunione; di qui l'espressione ha acquisito il senso figurato di *normale, comune.*

○ Questa città sta diventando sempre peggio: i furti e le rapine sono diventati **all'ordine del giorno**.

Trantran È una parola onomatopeica che riproduce il rumore regolare e continuo di un mezzo in movimento. Rende bene l'idea della monotonia che a volte caratterizza la vita di tutti i giorni. In questo senso si usa molto anche il francesismo *routine*. L'espressione **di routine** significa, invece, *ordinario, normale.*

○ Sono finite le vacanze estive e adesso ricomincia il solito **trantran**.

○ ▪ Sarebbe meglio fare una serie di analisi in ospedale.

● Oddio, dottore! Non sarà qualcosa di grave?
■ Ma no, stia tranquillo: è solo un controllo **di routine**.

Nella norma / media   Due espressioni molto comuni per indicare che qualcosa rientra in quello che noi consideriamo normale. Sono precedute dal verbo *essere* o da *rientrare*.

○ Secondo le analisi i suoi valori sono **nella norma**, ma in ogni caso un po' di dieta non le farebbe male.

fuori dal normale

Voce fuori dal coro   È quella di chi si distingue dalla massa, dal resto del gruppo.

○ Mi piace molto questa giornalista, dà sempre una prospettiva interessante e apporta veramente informazioni nuove. È una **voce fuori dal coro**.

Fuori dal comune   È il contrario di **uno come tanti**: si dice di qualcuno o qualcosa che possiede delle caratteristiche eccezionali.

○ Questo scrittore è dotato di una capacità di analisi e di una sensibilità **fuori dal comune**.

Fuoriclasse   È qualcuno con delle capacità talmente al di sopra della media da non ammettere confronti. Si dice soprattutto dei grandi campioni sportivi.

○ Che **fuoriclasse**! Ma hai visto che gol ha fatto?
Incredibile!

Essere / sembrare di Può riferirsi sia a capacità al di sopra della
un altro pianeta norma, ma anche a persone con comporta-
menti strani. In ogni caso, fa riferimento
alla particolarità.

○ Sì, Duke Ellington e John Coltrane sono due
jazzisti eccezionali ma, secondo me, Miles
Davis **è di un altro pianeta**.

○ Ti piace Graziano? Ma... secondo me è un po'
particolare quel ragazzo, a volte mi **sembra di
un altro pianeta**.

In via del tutto Due espressioni che si usano quando si fa
eccezionale, fare uno qualcosa che normalmente non si dovrebbe
strappo alla regola fare, ma si fa un'eccezione.

○ Normalmente le iscrizioni si chiudono il 20 di
settembre ma, **in via del tutto eccezionale**,
quest'anno si potranno fare fino al 30.

○ Lo so che sei a dieta ma, dai!, **fai uno strappo
alla regola** e prenditi un bel gelato con me!

Sui generis È una delle numerose espressioni latine ancora vive nella lingua italiana. Indica tutto
ciò che è così originale e particolare da non
poter essere in alcun modo catalogato.

○ ▪ Stasera esco con Isabella e la sua amica
Marta. Tu l'hai conosciuta, no? Com'è?
▪ È un tipo **sui generis**, di sicuro non ti
annoierai!

UN DISCO ROTTO

UGUALE O DIFFERENTE

uguale

La solita storia / una vecchia storia / una storia già sentita

Sono tutte varianti dello stesso concetto: per *storia* s'intende una cosa già accaduta o che già si conosce bene, letta o vista un sacco di volte. Con l'espressione si manifesta un certo fastidio proprio perché non si vuole sentire o vedere qualcosa che si è ripetuto varie volte. Generalmente è introdotta dal verbo *essere*.

○ Tagli del personale e nessun aumento degli stipendi: il nuovo piano di ristrutturazione della nostra azienda **è** sempre **la solita storia**.

La stessa solfa / musica

Solfa è un termine che deriva dal nome delle due note *sol* e *fa* e indica propriamente il solfeggio: per estensione è passato a significare *cantilena* (musica ripetitiva e noiosa) e ha infine assunto il senso figurato di *discorso ripetuto,* che diventa quindi monotono. Entrambe le espressioni si riferiscono in genere a discorsi che ci sono stati ripetuti mille volte e che per questo non sopportiamo più. Le espressioni sono spesso introdotte dai verbi *suonare, ripetere, essere*.

O ▪ Scusi il ritardo, ma c'era un traffico terribile...
● Tutti i giorni **la stessa solfa**! Se continua così, può cominciare a cercare un altro lavoro!

Cambiare la musica, ma non i suonatori

La usiamo quando siamo stufi di una situazione che apparentemente cambia, ma in realtà rimane sempre uguale. L'espressione è molto utilizzata per lamentarsi della classe politica, che alla fine è sempre la stessa.

O ▪ Accendi la TV: non ti interessa sapere chi ha vinto le elezioni?
● Assolutamente no... **cambia la musica, ma non i suonatori** e noi cittadini non contiamo nulla.

La solita minestra

Mangiare tutti i giorni la stessa minestra, anche se molto buona, è piuttosto noioso. Si tratta di una metafora culinaria utilizzata in vari contesti: *la solita minestra* può essere una persona, un discorso, una situazione, qualsiasi cosa. L'espressione è generalmente introdotta dal verbo *essere*. **Minestra riscaldata** significa, invece, che qualcosa già fatta o vissuta non va più riproposta perché non funzionerà più o darà comunque poca soddisfazione. Si usa molto in campo sentimentale: quando l'amore finisce, meglio lasciar perdere.

O ▪ Hai visto la prima puntata della nuova edizione del Grande Fratello?
● È la **solita minestra**: concorrenti volgari, ignoranti e banali.

○ Tornare con il mio ex? Non ci penso proprio:
sarebbe una **minestra riscaldata**.

Niente di nuovo È un detto di origine biblica e ripete le parole
sotto il sole di Qoèlet, figlio di Davide. Significa che *al
mondo non c'è mai nulla di nuovo: quello che
accade oggi è già accaduto ieri e accadrà di
nuovo domani.

○ ▪ Hai visto? Il concorso pubblico era truccato:
alcuni candidati conoscevano le domande
prima dello svolgimento della prova.
● **Niente di nuovo sotto il sole**: non è il
primo concorso in cui succede e non sarà
l'ultimo, purtroppo.

Se non è zuppa è Proverbio molto frequente che si usa per ri-
pan bagnato ferirsi a una cosa che è più o meno uguale a
un'altra, come la zuppa che è molto simile
al pane bagnato. Generalmente il tono che
accompagna l'espressione è di noia, fastidio
o sarcasmo.

○ ▪ Franca, le chiavi non sono dove hai detto tu:
non ci sono nel primo cassetto.
● E guarda nel secondo, no? **Se non è zuppa è
pan bagnato**...

Tanto vale Significa *è la stessa cosa*, ma anche *è meglio*
o *conviene* e si utilizza per introdurre una
conclusione.

○ Se tra mezzora arriva Corrado, **tanto vale**
restare qui ad aspettarlo.

Un disco rotto   Chi parla sempre della stessa cosa o torna sempre sul solito argomento è ripetitivo e noioso come un disco rotto che suona sempre lo stesso frammento di musica. L'espressione di solito è introdotta dai verbi *sembrare, essere*.

○ E smettila di lamentarti sempre del lavoro: sembri **un disco rotto**! Se lo trovi così insopportabile, datti da fare per trovare qualcosa di meglio, piuttosto di lamentarti e basta!

Una cosa vale l'altra,   Modi informali per esprimere che una cosa
essere / fare lo stesso   ha lo stesso valore e importanza di un'altra.

○ ▪ Che dici... ristorante cinese o coreano?
 ● Mah, **una cosa vale l'altra**...
 ▪ Ok, se per te **fa lo stesso** allora decido io: coreano.

differente

Segnare un'epoca,   Espressioni molto simili che si riferiscono a
svolta epocale, la fine   un evento memorabile, a un cambiamento
di un'epoca, fare epoca   che segna in modo profondo un determinato periodo. Sono formule molto ricorrenti in ambito giornalistico e sociologico.

○ *Ultimo tango a Parigi* può piacere o non piacere, ma nessuno può negare che **ha segnato un'epoca** nella storia del cinema.

○ I referendum sul divorzio e sull'aborto hanno rappresentato una **svolta epocale** per l'Italia e per la modernizzazione della società.

Un altro paio di maniche Significa *essere una cosa completamente diversa*. Ha origine medievale, in questa epoca, infatti, i vestiti femminili avevano le maniche intercambiabili. Di significato analogo sono **(tutta) un'altra storia / musica**.

○ ▪ Allora, come ti trovi con il nuovo computer?
   ● **Un altro paio di maniche**, guarda. Ci lavoro proprio bene.

Inversione di tendenza Con questa espressione ci si riferisce a un cambiamento importante nella linea di sviluppo di fenomeni sociali, economici o politici.

○ Senza una seria **inversione di tendenza** l'Italia non riuscirà a ridurre la disoccupazione.

Invertire / cambiare rotta, cambiar registro La prima espressione viene dall'ambito marinaresco e la seconda da quello musicale; entrambe hanno acquisito il significato figurato di *cambiare atteggiamento, modo di pensare e agire*.

○ I dati parlano chiaro: il numero di giovani italiani che vanno a studiare e a lavorare all'estero è in continua crescita. Bisogna **invertire la rotta** se non vogliamo perdere la parte migliore del nostro paese.

VOLENTE O NOLENTE

ATTESA O AZIONE

attesa

In sospeso Nata in ambito burocratico e commerciale, l'espressione viene usata per tutte quelle situazioni che devono essere attuate o definite.

○ Per ora il piano di ristrutturazione della biblioteca rimane **in sospeso**: sapremo qualcosa in più dopo la riunione di giovedì in Comune.

Chi dorme non piglia pesci Noto proverbio dal significato chiaro: se il pescatore dorme, non pescherà nessun pesce; per estensione vuol dire che *per cogliere delle opportunità e ottenere dei risultati bisogna stare svegli e attenti.*

○ ■ Tra un mese finisci il liceo e non hai ancora deciso cosa farai, se vuoi andare all'università, fare un corso, un tirocinio...
● E va beh, ma c'è tempo!
■ Ma quale tempo! Forza svegliati: **chi dorme non piglia pesci**!

Frena! È un'esclamazione di tono informale con cui s'invita qualcuno a controllare il proprio comportamento perché esagerato o precipitoso.

⊙ Ehi ehi, **frena!** Quando ho dato la mia disponibilità non intendevo che avrei lavorato anche tutti i sabati e tutte le domeniche.

Pensarci su Espressione che usiamo quando vogliamo riflettere con calma su un determinato argomento.

⊙ ▪ Allora, che ne pensi della possibilità di vendere il nostro prodotto anche all'estero?
  • Io direi che dobbiamo **pensarci su** e fare un'indagine di mercato prima di prendere una decisione così importante.

Starsene con le mani in mano Modo di dire riferito a chi rimane inattivo anche se, vista la situazione, sarebbe il caso di darsi da fare. L'immagine delle mani in mano trasmette proprio l'idea di inattività, perché non si sta facendo niente.

⊙ Dai, non **startene con le mani in mano!** Non vedi quanti piatti sporchi ci sono da lavare?!

azione

Battere il ferro finché è caldo L'espressione deriva dalla lavorazione del ferro: per ottenere la forma desiderata bisogna colpire (battere) il ferro caldo con un martello. Per estensione, significa *approfittare delle circostanze finché sono favorevoli.*

⊙ ▪ Senti cosa dice il mio oroscopo: "Ottima giornata per le questioni amorose: quindi, se ne avete l'occasione, approfittate del favore delle stelle". Chiamo subito Ada e la invito a cena, no?
● Bravo! Bisogna **battere il ferro finché è caldo**.

Ci vogliono fatti, non parole   Una specie di slogan che esorta ad agire, lasciando perdere le chiacchiere.

⊙ È da due mesi che dici che bisogna cambiare la situazione, ma non hai fatto niente. **Ci vogliono fatti, non parole!**

Carpe diem   Celebre citazione dalle *Odi* di Orazio spesso tradotta in italiano con *cogli l'attimo*. È un invito a cogliere le opportunità che offre il presente, senza farsi condizionare dalle ansie e dalle paure del futuro, che non si conosce.

⊙ Non vivere con tutte queste paure e incertezze, ogni giorno la vita ti offre delle opportunità, non le perdere: **carpe diem!**

Come viene, viene   L'espressione si riferisce abitualmente a un progetto o un lavoro che si ha intenzione di completare comunque, anche se in modo approssimativo.

⊙ ▪ Non so se sono capace di preparare questo piatto: mi sembra un po' complicato.
● Ma non ti preoccupare: tu provaci, poi **come viene, viene**... tanto è una cena informale.

Forza!, Coraggio!   Due esortazioni a resistere e a farsi forza per superare un ostacolo e raggiungere la meta prefissata. Possono essere usati separatamente o anche nella combinazione **forza e coraggio!**

○ ▪ Uff, non ce la faccio più... Sono stanchissimo!
  ● **Forza**! Ancora uno sforzo e siamo arrivati in cima!

Volente o nolente Si usa per dire che dobbiamo fare qualcosa obbligatoriamente, che ci piaccia o meno. Esiste anche la versione **per amore o per forza**.

○ **Volente o nolente** devi fare questo lavoro anche se non ti piace: hai firmato il contratto.

Prendere di petto Vuol dire *affrontare in modo deciso e diretto* una difficoltà o una persona con cui abbiamo delle divergenze.

○ Secondo me devi **prendere di petto** la situazione: parla con Donatella e spiegale tutto quello che non ti piace e non ti sta bene.

Prendere il toro per le corna Sembra che il modo migliore per non farsi infilzare da un toro sia quello di afferrarlo per le corna, in modo da bloccargli la testa. In senso figurato l'espressione significa *affrontare un problema con decisione*. In **tagliare la testa al toro** c'è sempre il toro di mezzo e la volontà di passare all'azione prendendo una decisione drastica, anche se ciò potrebbe avere degli effetti indesiderati.

○ Occorre **prendere il toro per le corna** e affrontare una volta per tutte il problema: o ci rinnovano il contratto o convochiamo lo sciopero generale!

○ Dai, basta con tutte queste indecisioni!
Tagliamo la testa al toro: andiamo in
spiaggia. Se poi piove, pensiamo a cosa fare.

Rimboccarsi le maniche   L'immagine è quella di chi si arrotola le
maniche della camicia per mettersi al lavo-
ro con impegno e senza badare alla fatica.
L'espressione può essere usata sia per lavori
manuali che per attività intellettuali. **Darsi
da fare** e **fare uno sforzo** sono varianti dal
significato simile.

○ Il terremoto ha causato molti danni in paese,
ma gli abitanti **si sono rimboccati le maniche**
e in poco più di un anno hanno ricostruito
quasi tutto.

○ Devi **darti da fare** per migliorare i tuoi voti, se
no, non sarai promosso.

DA SBALLO

Fare le ore piccole   Si dice quando si torna a casa o si va a dormire molto tardi, dopo la mezzanotte: dall'una in poi la lancetta dell'orologio ritorna ai numeri piccoli.

> ○ ■ Hai un brutto aspetto, stai male?
> ● No, ho solo un sonno tremendo: ieri sera sono uscito con i miei compagni dell'università, **abbiamo fatto le ore piccole** e ho dormito solo un paio d'ore.

L'anima della festa   È la persona allegra, vivace che ha voglia di scherzare e divertirsi insieme agli altri.

> ○ ■ Mi dispiace, ma sabato prossimo ho un impegno e non posso venire.
> ● No! Non puoi mancare, sei **l'anima della festa**: senza di te ci annoieremo tutti!

Fare baldoria   La baldoria è l'allegria rumorosa, quella tipica delle riunioni tra amici. L'espressione si usa per indicare, appunto, un momento di festa condiviso con gli amici, in cui si ride, si scherza e si sta insieme. Esiste anche la versione giovanile **fare casino**.

> ○ Dai, ragazzi, adesso che abbiamo consegnato il lavoro, andiamo a **fare baldoria** tutti insieme!

Spassarsela È un verbo pronominale che significa *divertirsi moltissimo*. È di uso colloquiale.

○ Ieri sera **ce la siamo spassata** alla festa di Sara: un sacco di gente divertente, ottima musica, ottimo vino.

Da sballo Lo *sballo* è l'euforia o lo stordimento che provocano l'alcol e le droghe. In questa espressione perde la connotazione negativa e mantiene il significato di *eccezionale, eccitante, fuori dal comune*. Si usa specialmente a proposito di feste, eventi musicali.

○ Devi venire al festival rock: buona musica, gente interessante, atmosfera speciale. **Da sballo!**

Bevuto, andato Due espressioni che descrivono gli effetti dell'alcol, nel primo caso, e anche di sostanze stupefacenti, nel secondo.

○ Mammamia ragazzi, non ci capisco più niente... **sono** proprio **bevuta!**

○ ▪ Ma che diavolo sta facendo Beppe? Sembra un matto...
  • Lascialo perdere, non vedi che è **andato?**

Bere come una spugna Significa bere alcol in quantità eccessiva: il riferimento è alla capacità di assorbimento della spugna.

○ ▪ A cena siamo in quattro: io, te, Cristiana e Vito. Quindi direi che una bottiglia di vino dovrebbe bastare.
  • Ma che dici? Ce ne vogliono almeno due: Vito **beve come una spugna** e anche Cristiana non scherza!

Essere fatto / fattissimo / strafatto Sono espressioni del gergo giovanile riferite a chi è piuttosto alterato a causa dell'assunzione di droga.

○ Basta, non ci esco più con Sergio: i suoi amici sono tutti **strafatti**, non si riesce a fare dei discorsi normali.

Bidonare, tirare pacco (a qualcuno) Due espressioni tipiche del gergo giovanile e di uso colloquiale. *Bidone* (da cui il verbo *bidonare*) e *pacco* sono sinonimi di *imbroglio*, *fregatura*. Queste espressioni, però, si usano tantissimo anche per riferirsi a chi non si presenta a un appuntamento.

○ ▪ Uffa! Ma quando arriva Gino, è da un'ora che aspettiamo.
● Bah... secondo me è evidente che ci **ha bidonato**: andiamocene, non verrà.

Fare da tappezzeria Se a una festa nessuno interagisce con noi, né per ballare né per chiacchierare, rimaniamo da una parte, molto probabilmente vicino alle pareti o seduti, fermi immobili come la tappezzeria (carta o tessuto che serve per decorare). Per estensione significa *essere lasciati in disparte* e *venire ignorati*.

○ No, no, non ci vado alla festa di Eva: non conosco nessuno e non voglio **fare da tappezzeria**!

SU PER GIÙ

SAPERE O NON SAPERE

sapere

Ascoltare / sentire tutte le campane

Prima di prendere una decisione o di trarre conclusioni, è meglio informarsi bene: conoscere le differenti versioni di un fatto e le varie opinioni.

○ ■ Mauro è un ladro di idee! Ha presentato la nuova campagna pubblicitaria come se fosse solo sua, e invece ci ha lavorato anche Gloria.
● Aspetta a trarre conclusioni, bisogna **ascoltare tutte le campane**: Gloria è stata in ferie per tre settimane e non ha fatto praticamente niente.

Non mi è nuovo

Espressione molto comune usata per riferirsi a qualcosa o qualcuno già visto o sentito, ma di cui non si ricordano molti dettagli.

○ ■ Conosci un certo Gianni Rossi?
● Il suo nome **non mi è nuovo**, ma in questo momento non riesco a ricordare dove l'ho conosciuto.

Sapere il fatto suo   Significa *essere determinato* e *ben preparato* in qualcosa (lavoro, specialità, ecc.). Chi sa il fatto suo sa far rispettare i propri diritti e riesce a ottenere quanto gli spetta: insomma, una persona sveglia e capace.

> ■ Nicoletta **sa il fatto suo**: hai visto come ha difeso il suo progetto davanti ai capi?
> ● Sì, è molto preparata e sa farsi rispettare.

Saperle tutte   L'espressione denota una certa ammirazione, infatti la usiamo in riferimento a chi sembra conoscere tutti i trucchi e le astuzie possibili e immaginabili.

> ■ Se vai sul sito calcioindiretta.com la partita la puoi vedere gratis in diretta.
> ■ **Le sai** proprio **tutte**, tu!

Scoprire l'acqua calda   Si tratta di un'espressione molto ironica riferita a chi pensa di conoscere grandi verità, quando invece si tratta delle cose più ovvie, che tutti sanno.

> ■ Ieri ho visto un servizio del telegiornale interessantissimo: ma lo sai che i politici italiani sono i più corrotti d'Europa?
> ● E ci voleva un servizio del telegiornale per capirlo?! **Hai** proprio **scoperto l'acqua calda**!

Non mi dire   Un'altra espressione molto ironica per chi ci dà un'informazione ovvia, pensando di apportare grandi novità. Si usa anche per esprimere sorpresa.

> ■ Per noleggiare la macchina dobbiamo presentare la patente.
> ● **Non mi dire**! E cosa pensavi, che ci chiedessero la tessera della biblioteca?!

non sapere

Acqua in bocca Se abbiamo dell'acqua in bocca, non possiamo parlare. Per estensione significa *non parlare di qualcosa, non dare delle informazioni*. È sottinteso il senso di mancanza di conoscenza: se non sappiamo qualcosa, non possiamo parlarne.

○ Il mese prossimo Valentini se ne va dall'azienda, quindi il suo posto di coordinatore rimarrà vuoto. Oh ma io non ti ho detto niente e tu non sai niente, eh? **Acqua in bocca!**

Non sapere a quale santo votarsi A volte, quando le cose si mettono male, nemmeno i santi possono aiutarci. Usiamo l'espressione quando non sappiamo cosa fare, come risolvere una situazione. Di significato analogo è **non sapere dove andare a sbattere la testa**: l'immagine è quella di chi, per disperazione, sbatte la testa contro il muro.

○ Ho provato con le diete tradizionali e con quella dissociata: niente da fare, non ho perso nemmeno un chilo! Io ormai **non so a quale santo votarmi** per dimagrire!

Non sapere che pesci pigliare Quando abbiamo provato tante volte a risolvere un problema o una situazione complicata ma senza risultati, non sappiamo più cosa fare.

○ Se gli telefono, si stressa. Se non lo chiamo, si sente trascurato. Se gli racconto quello che mi succede, si annoia. Se non glielo racconto, si sente escluso... Guarda, **non so che pesci pigliare** per far funzionare questa storia!

Non sapere dove sta di casa (qualcosa)

Si riferisce alla mancanza di una qualità: buonsenso, educazione, sensibilità, ecc. Se non si sa dove si trova, non si può possedere.

○ ▪ Incredibile! Avevo l'appuntamento fissato per le otto, ma mi hanno fatto aspettare più di due ore!
● Certa gente **non sa dove sta di casa** l'educazione!

Non averne la più pallida idea

Esprime la totale mancanza di conoscenza di qualcosa, o perché non lo sappiamo fare, o perché non ne siamo informati.

○ ▪ Tu sai come resettare il computer?
● Ah no, **non ne ho la più pallida idea**.

○ ▪ A che ora ha detto che arrivava Irene?
● **Non ne abbiamo la più pallida idea**, con noi non ha parlato.

A occhio e croce, a occhio, su per giù

Tutte e tre le espressioni si usano quando la nostra risposta è data in modo approssimativo; equivalgono a *più o meno, circa*. Alla base c'è l'idea di un calcolo non preciso. La prima si riferisce a una misura che viene calcolata dando un'occhiata da sinistra a destra e dall'alto in basso, come a seguire la forma di una croce.

○ ▪ Quanti metri di stoffa ci vorranno per foderare il divano?
● **A occhio e croce** cinque metri dovrebbero essere sufficienti.

Si fa così per dire, tanto per dire
In questo modo avvisiamo i nostri interlocutori che quello che diciamo non va preso in senso letterale, ma piuttosto indicativo.

○ ■ Il matrimonio di Carlo e Elena sarà un po'
pesante: ci sarà uno di questi pranzi infiniti,
con 50 portate...
● 50 portate?!
■ Ma no! **Si fa così per dire!**

Tirare a indovinare
Significa *dare una risposta a caso*, nella speranza che sia quella giusta. Altra espressione simile e più informale è **sparare a caso**.

○ ■ Com'è andato l'esame di chimica?
● Bah, era difficilissimo... Per alcune domande
ho tirato a indovinare.

Ascoltare / sentire tutte le campane

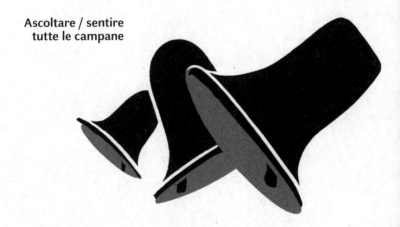

Consiglio d'oro
Niente è più prezioso dell'oro: un consiglio d'oro sarà, quindi, un parere saggio, da seguire senza alcun dubbio.

○ Mio padre mi ha dato un **consiglio d'oro** convincendomi a non vendere la casa in centro: sono passati solo due anni e il valore è aumentato già del 30%.

Perle di saggezza
Sono piccoli ma preziosi consigli e suggerimenti che denotano saggezza.

○ ▪ Mi ha aiutato tanto parlare con Serena, mi ha fatto ragionare e mi ha chiarito le idee.
  • Sì, Serena dà spesso **perle di saggezza**.

Essere un mentore
Mentore è un personaggio della mitologia classica noto per la sua credibilità e affidabilità. Nell'espressione assume il significato di *consigliere, amico fidato, guida*.

○ Mi dai sempre degli ottimi consigli, grazie! **Sei proprio il mio mentore!**

È più facile a dirsi che a farsi
L'espressione sottolinea la difficoltà di mettere in pratica un consiglio altrui. Ha lo stesso significato l'esclamazione **è una parola!**

○ ▪ Se non ce la fai più, cambia lavoro! È da tanto che ti lamenti, e poi sei sempre nervosa...
• **È più facile a dirsi che a farsi**: il mercato del lavoro è fermo, praticamente non ci sono offerte e offrono degli stipendi bassissimi.

Essere nei panni di qualcuno
Se vogliamo dare un buon consiglio, dobbiamo immaginare di trovarci nella situazione di questa persona per comprendere meglio. **Mettersi nei panni di qualcuno** significa *immaginare di trovarsi nella sua situazione* per comprendere le sue azioni e le sue decisioni.

○ **Se fossi nei tuoi panni**, non starei qui a perdere tempo e chiamerei subito: è un'offerta di lavoro interessantissima e tu sei la persona che fa per loro!

Mettere in guardia qualcuno
Nella scherma e nel pugilato significa assumere un atteggiamento difensivo. Per estensione, nel linguaggio comune, l'espressione ha generalizzato il suo significato in quello di *avvisare qualcuno di un pericolo*. Di significato simile è **stare in campana**.

○ So che stai uscendo con Edoardo, io lo conosco bene, per questo voglio **metterti in guardia**: è un ragazzo simpatico, ma è molto superficiale ed egoista.

Uomo avvisato, mezzo salvato
In altre parole, chi è stato avvertito di un pericolo può prevenirlo e, pertanto, è già in parte in salvo. Il proverbio si usa spesso anche come minaccia: avvisare sulle possibili

conseguenze negative di una determinata azione. Si usa anche solo la prima parte: **uomo avvisato...**

○ Vincenzo, **uomo avvisato, mezzo salvato**: se non chiarisci subito la questione delle tasse non pagate, avrai grossi problemi.

○ Un'altra lamentela per il troppo rumore da parte degli altri condomini, e te ne vai da questo appartamento: **uomo avvisato, mezzo salvato.**

Mettere in guardia qualcuno

PUNTARE I PIEDI

RESISTERE

Incassare il colpo Viene dal linguaggio del pugilato: quando il pugile subisce i colpi dell'avversario senza conseguenze negative. Per estensione, l'espressione si usa per chi sopporta bene eventi negativi, critiche, cattiverie.

○ L'ultimo lavoro del regista Tonelli ha ricevuto un sacco di critiche e uno scarso successo a livello di pubblico. Eppure lui **ha incassato bene il colpo**: partecipa ad eventi e conferenze stampa senza perdere la dignità.

Nervi saldi Avere dei nervi saldi significa mantenere la calma e il controllo della situazione, anche quando questa è critica. L'espressione può essere introdotta dai verbi *avere, mantenere, volerci.*

○ È un giocatore molto maturo: nonostante le continue provocazioni dell'avversario, è riuscito a **mantenere i nervi saldi** fino alla fine della gara.

Non farsi mettere i piedi in testa Mettere i piedi in testa a qualcuno è un segno di oppressione, quindi, se non ce li facciamo mettere, vuol dire che ci facciamo rispettare.

○ ▪ Lucilla dovrà lavorare con quel prepotente e
  arrogante di Antonio, poverina!
  ● Non credo che avrà problemi: è molto
  sveglia e **non si farà mettere i piedi in testa**.

Tenere testa   In origine era una'espressione appartenen-
te al linguaggio militare con il significato
di *fronteggiare lo schieramento nemico*. Per
estensione, è passata a indicare chi resiste
energicamente a qualcosa o qualcuno, senza
farsi intimidire.

○ Mio figlio è il più piccolo della squadra, ma è
  molto determinato e riesce a **tenere testa**
  anche a ragazzi molto più grandi di lui.

Non mollare di un   Nella prima espressione, il *pollice* è l'unità di
pollice, non cedere   misura del sistema anglosassone (*inch*); nella
di una virgola   seconda, la *virgola* è il segno di punteggia-
tura. In entrambi i casi, si tratta di qualcosa
di dimensioni ridotte. Da qui il significato di
non concedere niente "all'avversario", *mante-
nersi saldi sulle proprie posizioni*.

○ Non ho intenzione di **mollare di un pollice**: o
  ci danno quello che ci spetta o li portiamo in
  tribunale!

Puntare i piedi   Se qualcuno ci vuole portare via contro la
nostra volontà, puntiamo i piedi per terra
per opporre resistenza. In senso figurato,
significa *avere un atteggiamento fermo e ri-
soluto*.

○ Per comprare una casa insieme dovete essere
  pienamente d'accordo, non può obbligarti ad
  andare a vivere nello stesso palazzo dei suoi
  genitori. **Punta i piedi**!

Tener duro È un'esortazione a non cedere di fronte a una difficoltà, un ostacolo.

○ Il divorzio è duro da affrontare, ma poi tutto passa. **Tieni duro**, una volta superato il primo momento, le cose saranno più facili.

Non tutti i mali vengono per nuocere Famoso proverbio secondo cui, a volte, certe situazioni difficili e complicate possono anche avere degli aspetti positivi.

○ ▪ Perdere il posto di lavoro è un brutto colpo, ma con i soldi della liquidazione potrai pagarti il master che vuoi fare da anni. Dopo farai uno stage e troverai un lavoro migliore.
● Hai ragione: **non tutti i mali vengono per nuocere.**

Chi la dura la vince Un altro proverbio molto comune che esorta a non perdersi d'animo: chi continua a insistere riesce a ottenere quello che vuole e a superare anche situazioni complicate.

○ ▪ Abbiamo già contattato dieci case discografiche e nessuno ci ha risposto... Comincio a pensare che nessuno produrrà il nostro disco.
● Ma no! Ne dobbiamo contattare ancora tante, inviare la demo a emittenti radiofoniche, partecipare a concorsi... **chi la dura la vince**!

FARE TREDICI

LA BUONA E LA CATTIVA SORTE

Avere la fortuna dalla propria parte
Significa *passare un periodo favorevole*, in cui le cose vanno bene.

> ◉ ▪ Ho vinto 2000 € al Lotto!
> • Avevi vinto anche la scorsa settimana, no?
> ▪ Sì!! Ultimamente **ho la fortuna dalla mia parte**!

Avere una fortuna sfacciata
Si dice di tutti quelli che hanno una fortuna esagerata, che provoca stupore e, a volte, anche invidia.

> ◉ ▪ Ho sentito che la tua azienda manderà te al congresso annuale. Dove lo hanno organizzato quest'anno?
> • A Rio de Janeiro. Sette giorni, tutto pagato, spese extra comprese.
> ▪ **Hai** proprio **una fortuna sfacciata**!

Essere baciati (in fronte) dalla fortuna
L'immagine classica della fortuna è quella di una bellissima ragazza con gli occhi bendati (coperti da una benda) che distribuisce baci a caso, proprio perché non vede. Chi viene baciato, vivrà eventi favorevoli.

○ ■ Il signor Caselli è **stato baciato dalla fortuna**: ha vinto 75.000 € alla lotteria.
   ● Beh, mi fa piacere: lui e la moglie vivono con una pensione poverissima.

La fortuna è cieca Anche questa espressione si rifà all'immagine classica della dea bendata. Qui si sottolinea il fatto che la fortuna premia le persone in modo del tutto arbitrario e casuale.

○ ■ Spero proprio che il primo premio lo vinca una persona che ne ha davvero bisogno...
   ● Eh già, ma lo sai che **la fortuna è cieca**: potrebbe vincere anche un ricco.

La fortuna del principiante Può succedere che quando facciamo qualcosa per la prima volta, il risultato sia positivo: questa è la fortuna del principiante.

○ ■ Era la prima volta che andavo al casinò e ho vinto 1000 euro alla roulette!
   ● **La fortuna del principiante**...

Avere culo Nella lingua popolare il *sedere* (volgarmente *culo*) è sinonimo di *fortuna*. L'espressione è molto utilizzata in situazioni piuttosto informali. Esiste anche la variante **avere una botta di culo**, e molto frequente è l'esclamazione **che culo!**, tutte espressioni che appartengono al registro informale.

○ **Abbiamo avuto culo** a trovare subito parcheggio in pieno centro a Roma!

Tocchiamo ferro, facciamo le corna Due espressioni che rappresentano due gesti scaramantici, cioè che si fanno per tenere lontana la sfortuna. Nella cultura italiana, infatti, toccare il ferro e fare le corna allontana la cattiva sorte. **Incrociamo le dita** è più internazionale e si usa per attirare la fortuna.

○　■ Questa strada è proprio solitaria, speriamo di non avere problemi con la macchina... non c'è neanche campo per fare una telefonata d'emergenza.
　　● **Tocchiamo ferro!**

○　Domani sorteggiano i vincitori del viaggio alle Maldive... **incrociamo le dita!**

In bocca al lupo!　Gli italiani sono abbastanza superstiziosi ed esiste la convinzione che, in certe occasioni come esami o colloqui di lavoro, porti sfortuna dire "Buona fortuna". In questi casi bisogna dire "In bocca al lupo!" e l'interlocutore risponde "Crepi il lupo!".

○　■ Domani ho l'esame di anatomia...
　　● **In bocca al lupo!**
　　■ Crepi il lupo!

Fare tredici　In senso figurato significa *avere un colpo di fortuna*. Nel gioco del Totocalcio, il *tredici* è la massima vincita, che si ottiene indovinando il risultato di tutte le partite della schedina.

○　Per Ugo sposarsi con Lea è stato come **fare tredici**: adesso ha una bella moglie, un bel lavoro nell'impresa del padre di Lea e vive in un appartamento in centro senza pagare l'affitto...

Nascere sotto una　L'espressione nasce da antiche credenze
buona stella　astrologiche, secondo cui le congiunzioni planetarie influiscono sui destini umani.

Chi nasce sotto una buona stella è fortunato.
Il modo di dire può riferirsi anche a un progetto che è iniziato bene e ha quindi buone
probabilità di successo. Di significato contrario **nascere sotto una cattiva stella.**

○ Mi sembra che il nuovo prodotto **sia nato
sotto una buona stella**: tutti i media hanno
parlato in termini positivi della nostra
campagna promozionale.

Non è giornata   Lo diciamo quando ci capita una giornata
storta, in cui tutto va male. Si usa anche per
avvisare che siamo particolarmente nervosi.

○ Ho perso l'autobus, mi si è rotto un tacco delle
scarpe nuove, il capo si è arrabbiato perché
sono arrivata tardi al lavoro e adesso il
computer funziona malissimo... oggi proprio
non è giornata!

○ Ada, smettila di provocarmi perché **non è
giornata!**

Portare iella /   *Iella, scalogna* (o *scarogna*) e *male* sono si-
scalogna / male   nonimi di *sfortuna, cattiva sorte*, quindi
l'espressione significa *portare sfortuna*. Dai
primi due sostantivi derivano gli aggettivi
iellato/a e *scalognato/a* (o *scarognato/a*). *Iella*
e *scalogna* si usano anche nelle esclamazioni
che iella! e **che scalogna!**. Con questo significato (*che sfortuna!*) esiste anche **che sfiga!**,
di uso colloquiale.

○ Non mettere il cappello sul letto: **porta
scalogna!**

○ Ho perso il treno per un minuto: **che iella!**

Fare il malocchio Il *malocchio* è un influsso malefico che, secondo la superstizione popolare, provoca
eventi negativi a chi lo subisce. L'espressione
si usa quando passiamo un periodo in cui
molte cose vanno male.

○ Ti hanno rubato il portafoglio?! Ma qualcuno
ti ha fatto il malocchio? Ieri ti si è rotto
il cellulare e l'altro giorno sei caduto per le
scale...

Essere uno sfigato/a *Sfigato/a* è sinonimo di *sfortunato/a* e si usa
anche nell'esclamazione **che sfigato/a!**. Oltre
a fare riferimento alla cattiva sorte, lo *sfigato*
può indicare una persona priva di carisma,
che non ha successo.

○ Non ci posso credere, l'unica sedia rotta è
toccata a me... **sono** proprio **una sfigata**!

Sfortunato al gioco, È un proverbio che si usa come ironica con-
fortunato in amore solazione per chi non ha fortuna nel gioco.

○ ▪ Ancora una volta delle carte orribili! Ma
stasera proprio non va!
● Beh, caro, sai come si dice: **sfortunato al
gioco, fortunato in amore**!

UNA CIFRA

NIENTE, POCO O MOLTO

niente

Non cavare un ragno dal buco

L'immagine è quella di qualcuno che prova far uscire un ragno dal buco in cui si nasconde, cosa praticamente impossibile. Da qui viene il significato di *non concludere niente, non ottenere nessun risultato.*

- ■ Sei riuscito a parlare con l'Ufficio Reclami?
  ● No, guarda, ho passato tutto il pomeriggio a fare telefonate e **non ho cavato un ragno dal buco...**

Rimanere con un pugno di mosche (in mano)

Se in mano ci restano solo poche mosche, non ci resta nulla. L'espressione si usa specialmente quando si fa qualche tipo di investimento o di sforzo, però poi non si ottengono i risultati sperati. Frequente anche l'espressione **restare a mani vuote.**

- 15 anni di duro lavoro nella stessa azienda e alla fine **sono rimasto con un pugno di mosche in mano**: niente aumento di stipendio, niente promozioni... solo seccature.

Non capire un'acca   L'acca è la lettera H, che in italiano non si pronuncia. L'espressione significa *non capire niente*.

○ Mammamia devo fare un esame di statistica! E io **non capisco un'acca** di queste cose!

poco

Sciocchezza, bazzecola,   Sono tutte cose che hanno poco valore. *Cavo-*
stupidaggine, cavolata   *lata* è di uso più colloquiale ed esiste anche la versione più volgare *cazzata*. *Sciocchezza* indica anche una piccola quantità di denaro.

○ Sei proprio nervoso oggi, ti arrabbi per qualsiasi **stupidaggine**!

○ Stai tranquilla, l'esame di guida è una **cavolata**.

○ Ma no, figurati, non c'è bisogno che mi ridai i soldi: ho pagato una **sciocchezza**.

Un pizzico / briciolo   *Pizzico* e *briciolo* indicano una quantità minima: il primo, la quantità che si prende tra due dita; il secondo fa riferimento alle briciole di pane. Le espressioni si riferiscono a cose concrete e astratte.

○ ▪ Com'è il sugo?
    • Ottimo, ma aggiungerei **un pizzico** di sale.

○ ▪ Ma come si fa ad abbandonare un cane?
    • Certa gente non ha nemmeno **un briciolo** di pietà.

molto

A palate, a bizzeffe Così indichiamo grandi quantità. Si tratta di espressioni colloquiali.

○ Adesso chi crea App per smartphone, fa soldi **a palate**.

In massa, a frotte Queste due espressioni indicano il movimento di un gruppo numeroso di persone verso un luogo.

○ Oddio un pullman turistico! Andiamocene prima che arrivino i turisti **in massa**...

Una cifra, un botto Equivalgono a *moltissimo, tantissimo*. Entrambe le espressioni sono tipiche dell'italiano regionale di Roma e appartengono al registro colloquiale. Di significato analogo sono **un mucchio, un sacco, un casino**.

○ ▪ Senti, per caso ti piace Aurora...?
  • Eh sì, mi piace **una cifra**!

Una marea / valanga Due fenomeni della natura per esprimere una grande quantità: *marea*, massa d'acqua marina che si sposta, e *valanga*, massa di neve che precipita da una montagna. L'immagine è proprio quella di un'enorme quantità che sta per arrivarci addosso.

○ Odio fare shopping durante i saldi: c'è **una marea** di gente e non si può neanche camminare!

Indice alfabetico